만점왕 알파북
계산편

4-1

본 알파북은 **수학 학습내용 이해**에
도움이 될 만한 **계산력 문제**로 구성하였습니다.
이번 학기 교과서 구성과도 꼭 맞는
만점왕 알파북 계산편으로
수학 실력의 밑바탕을 다져 보세요!

차례 4-1

1 큰 수

학습 내용	학습한 날짜	맞힌 문제 수
1. 10000이 10개인 수 알아보기	월 일	/ 14
2. 다섯 자리 수 알아보기(1)	월 일	/ 14
3. 다섯 자리 수 알아보기(2)	월 일	/ 9
4. 십만, 백만, 천만 알아보기(1)	월 일	/ 15
5. 십만, 백만, 천만 알아보기(2)	월 일	/ 11
6. 억과 조 알아보기(1)	월 일	/ 10
7. 억과 조 알아보기(2)	월 일	/ 14
8. 뛰어 세기	월 일	/ 8
9. 수의 크기 비교	월 일	/ 15

1000이 10개인 수 알아보기

□ 안에 알맞은 수를 써넣으세요.

1 10000은 1000이 □개인 수입니다.

2 10000은 9000보다 □ 큰 수입니다.

3 10000은 8000보다 □ 큰 수입니다.

4 10000은 9900보다 □ 큰 수입니다.

5 10000은 9990보다 □ 큰 수입니다.

6 10000은 9999보다 □ 큰 수입니다.

7 7000보다 □ 큰 수는 10000입니다.

8 6000보다 □ 큰 수는 10000입니다.

9 9980보다 □ 큰 수는 10000입니다.

10 9998보다 □ 큰 수는 10000입니다.

빈칸에 알맞은 수를 써넣으세요.

11

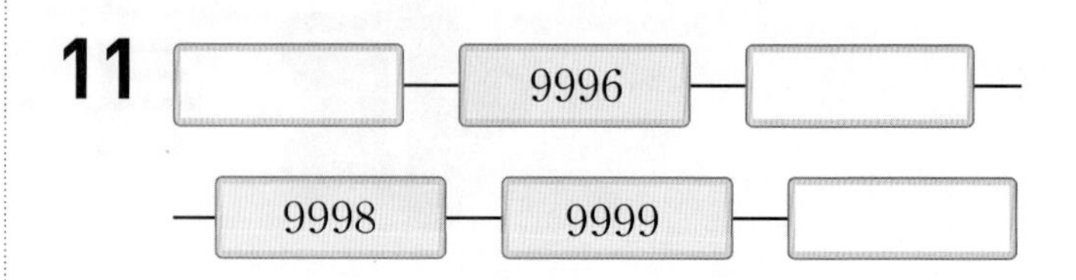

12

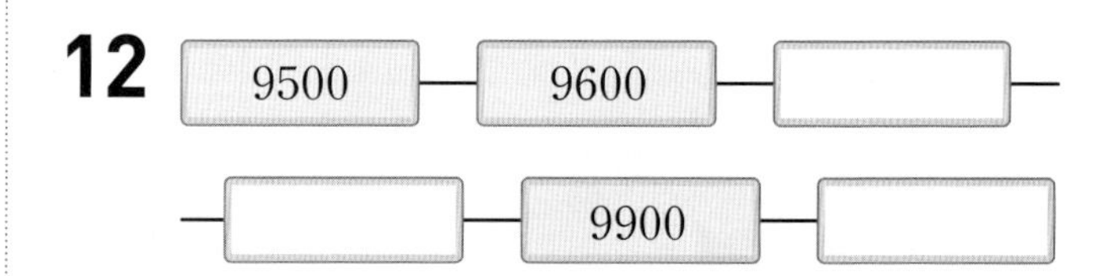

13

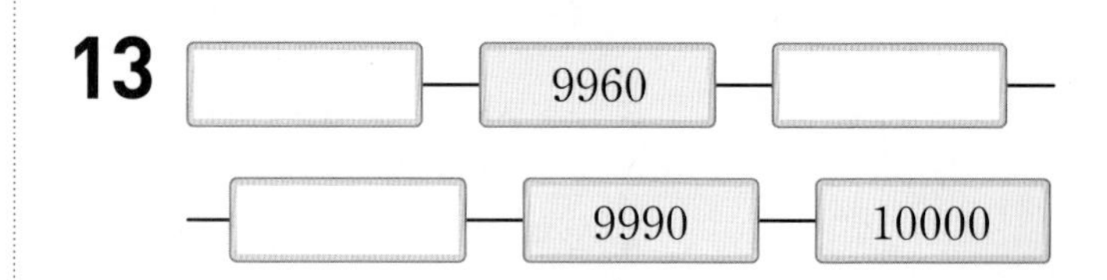

14

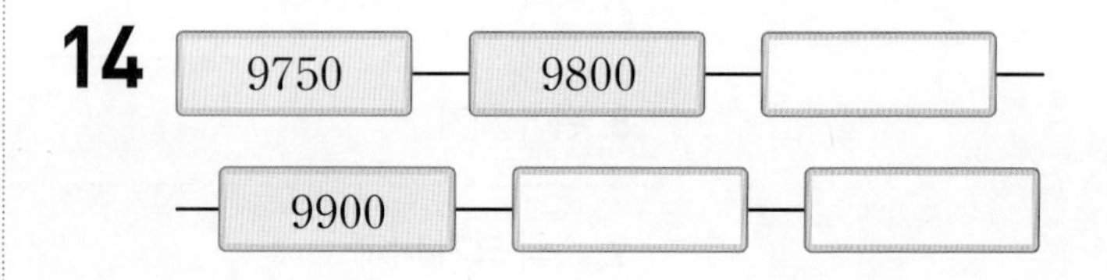

2 다섯 자리 수 알아보기(1)

빈칸에 알맞은 수를 써넣으세요.

1 10000이 3개, 1000이 5개, 100이 2개, 10이 7개, 1이 4개인 수

➡

만의 자리	천의 자리	백의 자리	십의 자리	일의 자리
		2	7	4

2 10000이 2개, 1000이 6개, 100이 1개, 10이 9개, 1이 3개인 수

➡

만의 자리	천의 자리	백의 자리	십의 자리	일의 자리
2			9	

3 10000이 7개, 1000이 2개, 100이 5개, 10이 4개, 1이 8개인 수

➡

만의 자리	천의 자리	백의 자리	십의 자리	일의 자리
	2			8

4 10000이 9개, 1000이 7개, 100이 2개, 10이 3개, 1이 1개인 수

➡

만의 자리	천의 자리	백의 자리	십의 자리	일의 자리

빈칸에 알맞은 수나 말을 써넣으세요.

5 18536 [ ]

6 26834 [ ]

7 37185 [ ]

8 64281 [ ]

9 83197 [ ]

10 [ ] 만 삼천이백칠십팔

11 [ ] 삼만 이천팔백구십사

12 [ ] 오만 삼천이백육십칠

13 [ ] 육만 구천삼백십팔

14 [ ] 구만 삼천오십칠

3 다섯 자리 수 알아보기(2)

□ 안에 알맞은 수를 써넣으세요.

1

만의 자리	천의 자리	백의 자리	십의 자리	일의 자리
2	9	4	1	3

29413
= □ + 9000 + □ + 10 + 3

2

만의 자리	천의 자리	백의 자리	십의 자리	일의 자리
4	3	5	8	9

43589
= 40000 + □ + 500 + □ + 9

3

만의 자리	천의 자리	백의 자리	십의 자리	일의 자리
6	1	3	2	5

61325
= 60000 + □ + 300 + □ + 5

4

만의 자리	천의 자리	백의 자리	십의 자리	일의 자리
7	4	6	8	2

74682
= □ + □ + 600 + □ + 2

보기와 같이 각 자리 숫자가 나타내는 값의 합으로 나타내어 보세요.

보기

87326 = 80000 + 7000 + 300 + 20 + 6

5 17529 = □ + □ + □ + □ + □

6 35862 = □ + □ + □ + □ + □

7 47689 = □ + □ + □ + □ + □

8 85134 = □ + □ + □ + □ + □

9 91264 = □ + □ + □ + □ + □

4 십만, 백만, 천만 알아보기(1)

☐ 안에 알맞은 수를 써넣으세요.

1 10000이 10개이면 ☐ 또는 10만이라 쓰고 ☐이라고 읽습니다.

2 10000이 100개이면 ☐ 또는 100만이라 쓰고 ☐이라고 읽습니다.

3 10000이 1000개이면 ☐ 또는 1000만이라 쓰고 ☐이라고 읽습니다.

4 10000이 1325개이면 ☐ 또는 1325만이라 쓰고 ☐ 이라고 읽습니다.

5 10000이 2467개이면 ☐ 또는 ☐이라 쓰고 ☐ 이라고 읽습니다.

빈칸에 알맞은 수나 말을 써넣으세요.

6	34280000	
7	71240000	
8	1800000	
9	6730000	
10	480000	
11		오천이백칠십육만
12		팔천삼백육십구만
13		백삼십만
14		이백칠만
15		육천팔만

십만, 백만, 천만 알아보기(2)

다음 수를 보고 나타낸 것입니다. 빈칸에 알맞은 숫자를 쓰고 □ 안에 알맞은 수를 써넣으세요.

1

43270000

4		2		0	0	0	0
천	백	십	일	천	백	십	일
			만				

43270000=□+3000000

+□+70000

2

68930000

6		9		0	0	0	0
천	백	십	일	천	백	십	일
			만				

68930000=□+8000000

+□+30000

3

76310000

		3		0	0	0	0
천	백	십	일	천	백	십	일
			만				

76310000=□+□

+□+10000

밑줄 친 숫자가 나타내는 값을 쓰세요.

4 1$\underline{2}$340000

(　　　　　　)

5 $\underline{2}$4370000

(　　　　　　)

6 561$\underline{8}$0000

(　　　　　　)

7 3$\underline{8}$790000

(　　　　　　)

8 789$\underline{3}$0000

(　　　　　　)

9 66$\underline{3}$90000

(　　　　　　)

10 842$\underline{9}$0000

(　　　　　　)

11 $\underline{9}$3520000

(　　　　　　)

6 억과 조 알아보기(1)

☐ 안에 알맞은 수나 말을 써넣으세요.

1 1000만이 10개인 수를 ☐ 또는 1억이라 쓰고 ☐ 또는 일억이라고 읽습니다.

2 1억은 9900만보다 ☐ 큰 수입니다.

3 1억은 9000만보다 ☐ 큰 수입니다.

4 1000억이 10개인 수를 ☐ 또는 1조라 쓰고 ☐ 또는 일조라고 읽습니다.

5 1조는 9900억보다 ☐ 큰 수입니다.

6 1조는 9000억보다 ☐ 큰 수입니다.

다음 수를 보고 나타낸 것입니다. 빈칸에 알맞은 숫자를 쓰고 읽어 보세요.

7

512900000000

				0	0	0	0	0	0	0	0
천	백	십	일	천	백	십	일	천	백	십	일
			억				만				

읽기 ____________

8

653800000000

				0	0	0	0	0	0	0	0
천	백	십	일	천	백	십	일	천	백	십	일
			억				만				

읽기 ____________

9

2846942300000000

								0	0	0	0	0	0	0	0
천	백	십	일	천	백	십	일	천	백	십	일	천	백	십	일
			조				억				만				

읽기 ____________

10

7642341500000000

								0	0	0	0	0	0	0	0
천	백	십	일	천	백	십	일	천	백	십	일	천	백	십	일
			조				억				만				

읽기 ____________

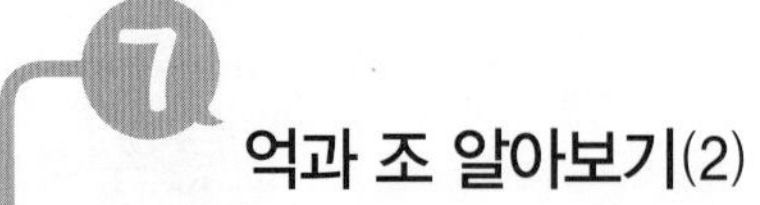

7 억과 조 알아보기(2)

보기 와 같이 나타내어 보세요.

보기

532352863643
➡ 5323억 5286만 3643

1 2364802357

➡ ____________

2 6781903425

➡ ____________

3 46728392514

➡ ____________

4 835271936098

➡ ____________

5 792340241254

➡ ____________

6 738407289356

➡ ____________

7 395430132750

➡ ____________

보기 와 같이 나타내어 보세요.

보기

124326712492705
➡ 124조 3267억 1249만 2705

8 14692480235257

➡ ____________

9 56345720392319

➡ ____________

10 235284241626412

➡ ____________

11 462837679900425

➡ ____________

12 781223420532183

➡ ____________

13 6352738431681238

➡ ____________

14 8794225378132738

➡ ____________

8 뛰어 세기

다음과 같이 뛰어 세기 해 보세요.

1 100000씩 뛰어 세기

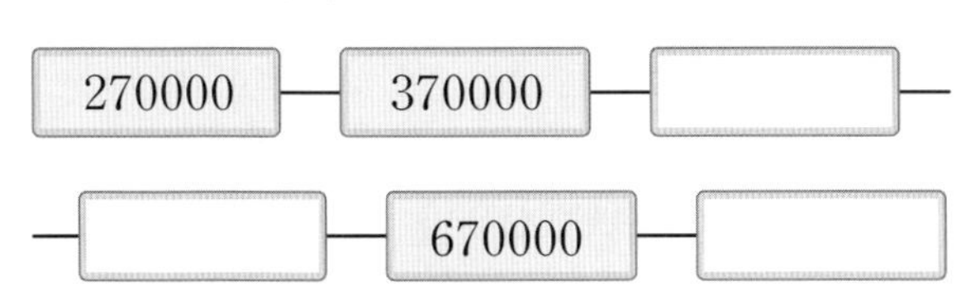

2 2000000씩 뛰어 세기

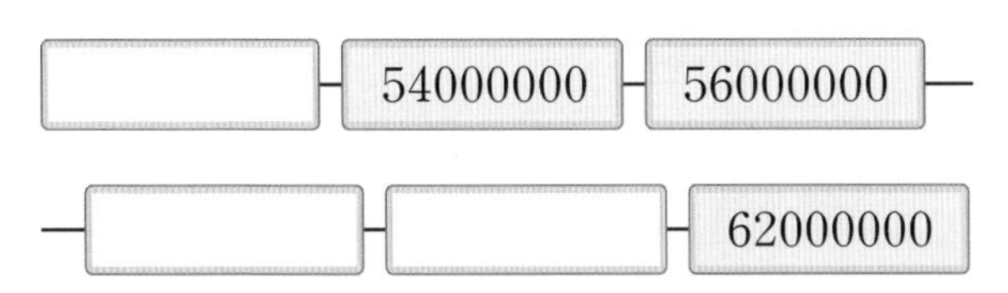

3 30억씩 뛰어 세기

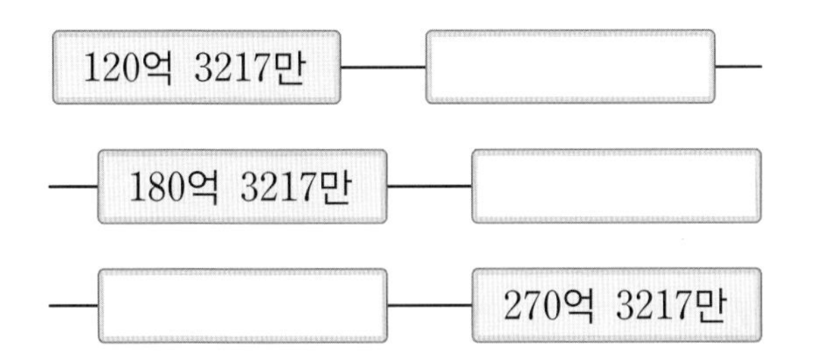

4 500억씩 뛰어 세기

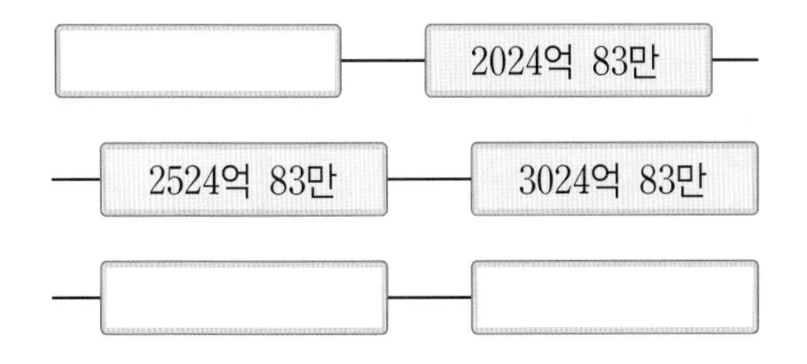

빈칸에 알맞은 수나 말을 써넣으세요.

5

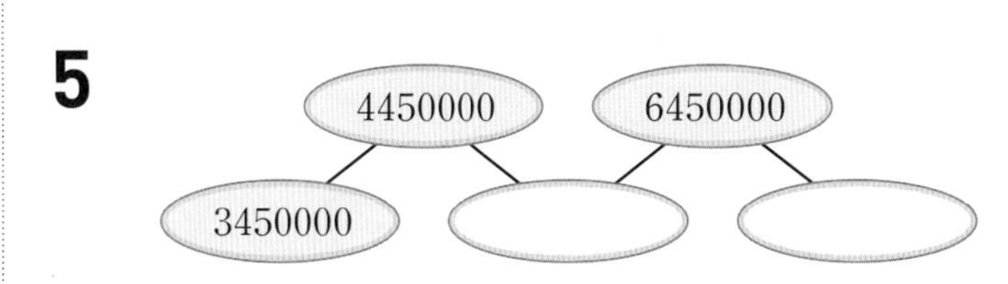

6

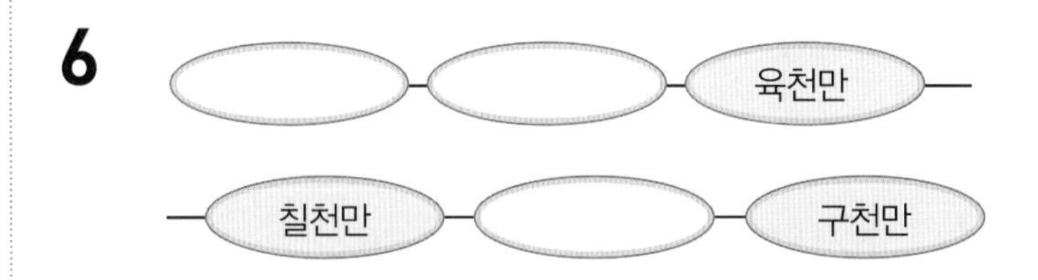

7

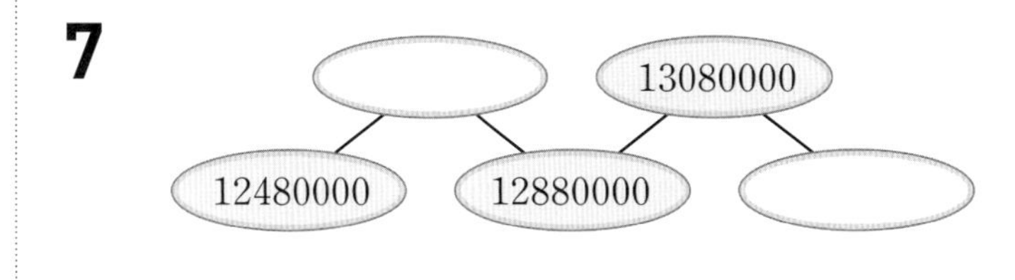

8

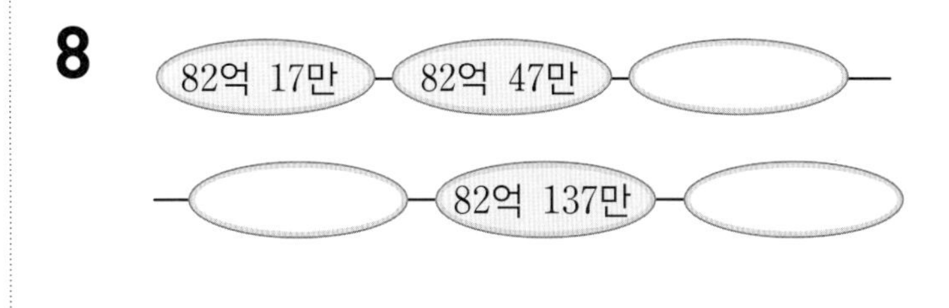

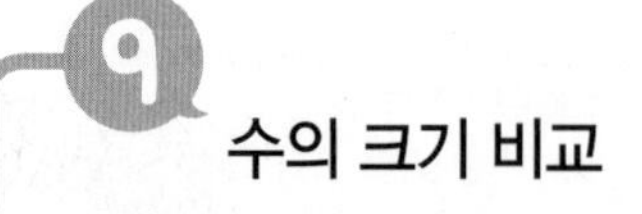

9 수의 크기 비교

✻ 두 수의 크기를 비교하여 ○ 안에 >, =, <를 알맞게 써넣으세요.

1 92145 ○ 546782

2 345728 ○ 361282

3 4562389 ○ 4561243

4 62187325 ○ 71274586

5 89453617 ○ 89453417

6 520억 4356만 ○ 4892억 1134만

7 2194억 5638만 ○ 2185억 3921만

8 6247억 8532만 ○ 6247억 8714만

9 110조 5200억 ○ 99조 7400억

10 768조 2000억 ○ 741조 3000억

✻ 수의 크기를 비교하여 작은 수부터 순서대로 기호를 써 보세요.

11

㉠ 370억
㉡ 87963200
㉢ 구천사백오십육만

(　　　　　　　　)

12

㉠ 23564820000
㉡ 321억
㉢ 이천사백팔십칠만

(　　　　　　　　)

13

㉠ 삼천팔십구억
㉡ 3조 1540억
㉢ 386734200000

(　　　　　　　　)

14

㉠ 41432895600
㉡ 4170억 5000만
㉢ 412856430000

(　　　　　　　　)

15

㉠ 육십구조 육천억
㉡ 6953200000000
㉢ 육조 팔천육백억

(　　　　　　　　)

2 각도

학습 내용	학습한 날짜	맞힌 문제 수
1. 각의 크기 비교	월 일	/ 8
2. 각의 크기 알아보기	월 일	/ 9
3. 각 그리기	월 일	/ 8
4. 직각보다 작은 각과 직각보다 큰 각 알아보기	월 일	/ 9
5. 각도 어림하기	월 일	/ 8
6. 각도의 합과 차(1)	월 일	/ 14
7. 각도의 합과 차(2)	월 일	/ 14
8. 삼각형의 세 각의 크기의 합	월 일	/ 10
9. 사각형의 네 각의 크기의 합	월 일	/ 10

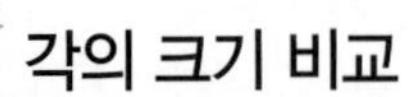

각의 크기 비교

두 각 중에서 더 큰 각을 찾아 ○표 하세요.

1

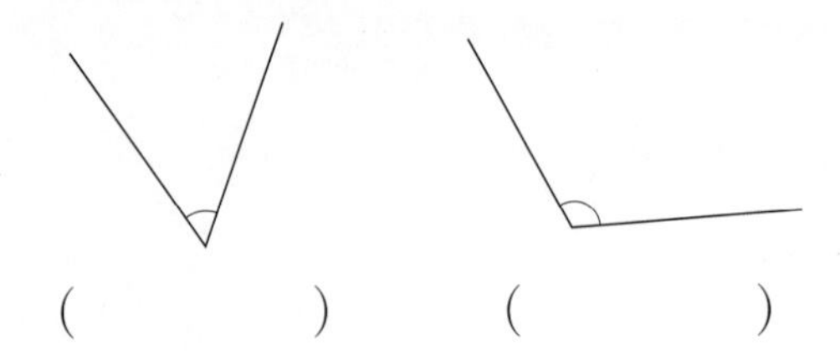

(   ) (   )

2

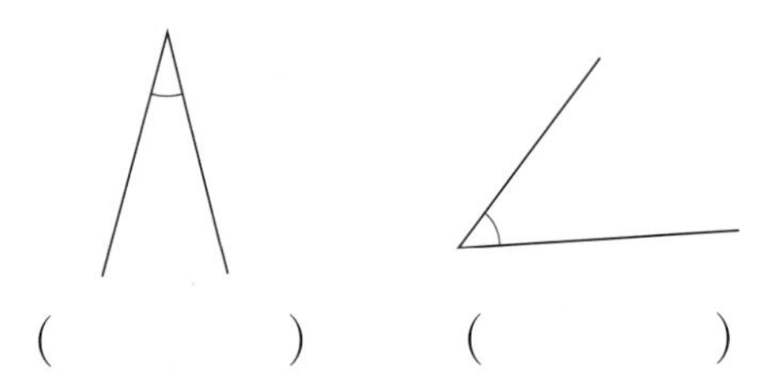

(   ) (   )

3

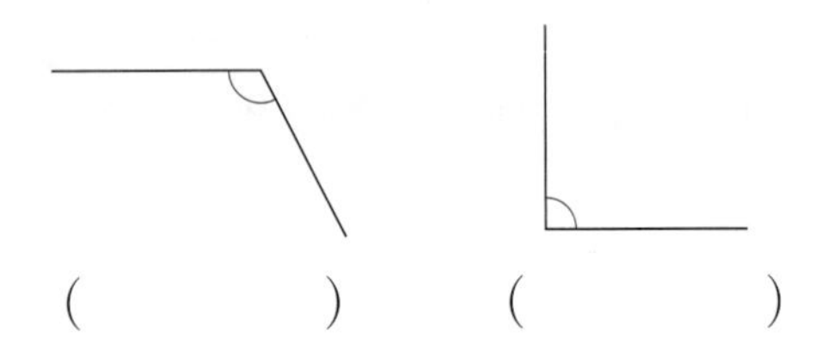

(   ) (   )

4

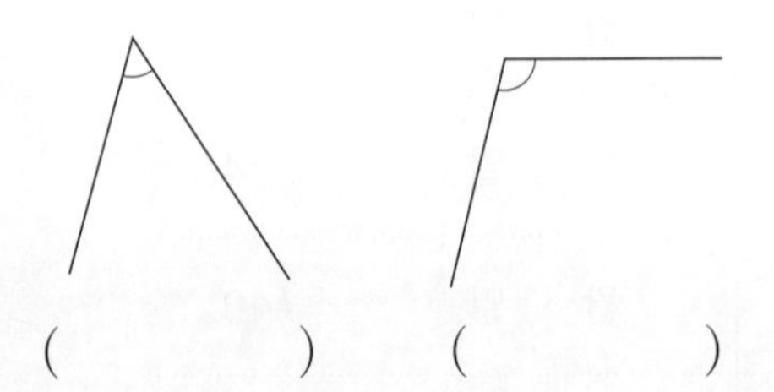

(   ) (   )

각의 크기가 큰 순서대로 기호를 써 보세요.

5

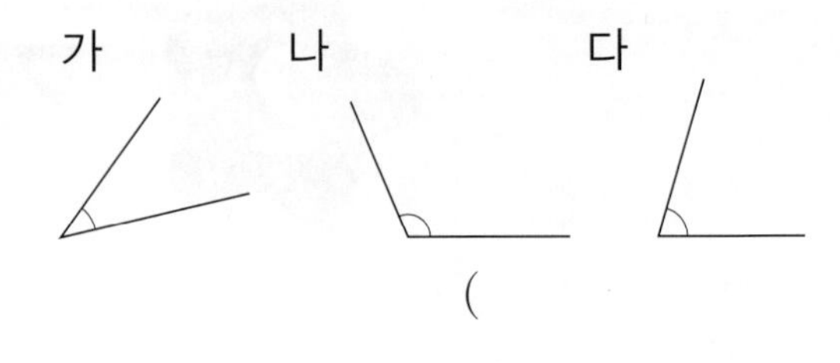

(   )

6

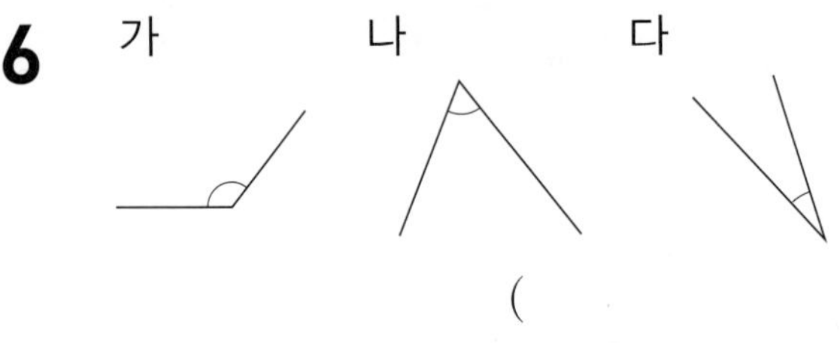

(   )

7

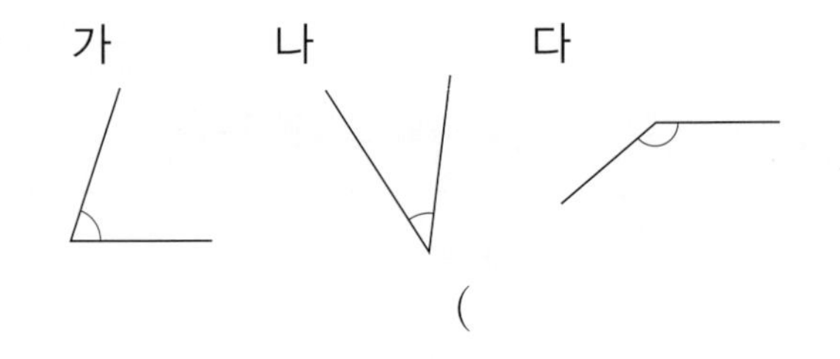

(   )

8

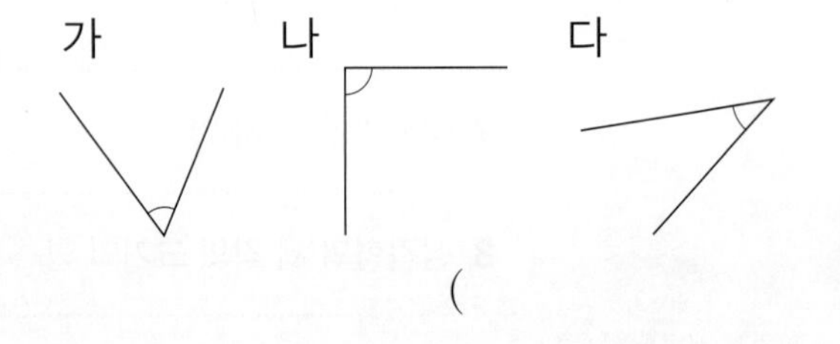

(   )

각도를 구해 보세요.

1

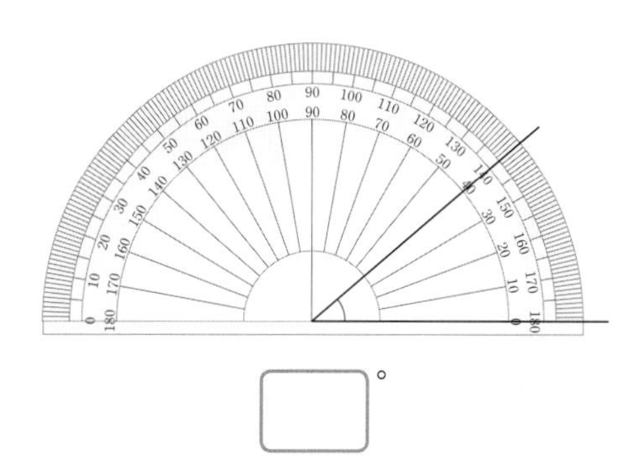

□°

2

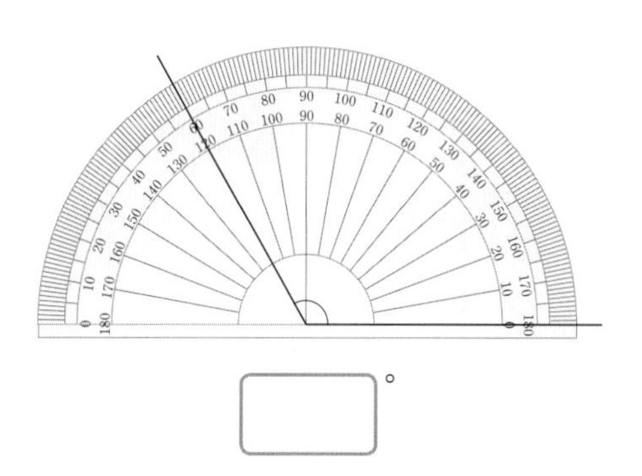

□°

3

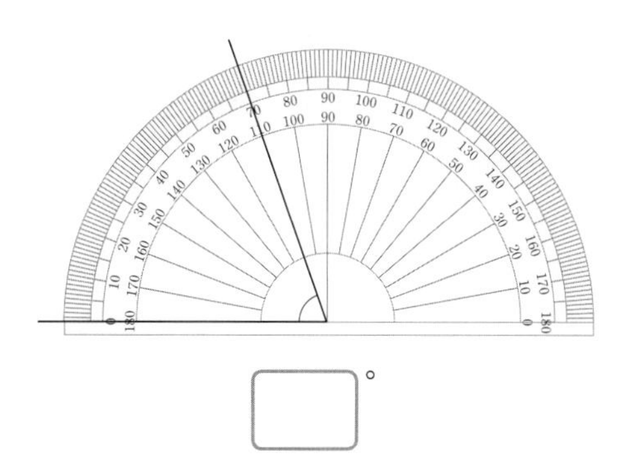

□°

4

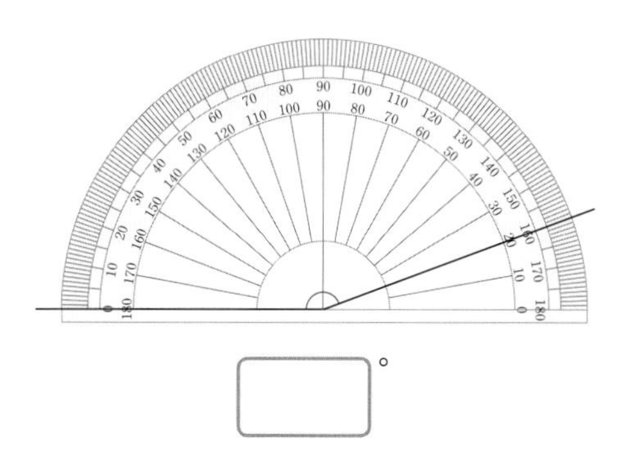

□°

각도기를 이용하여 각도를 재어 보세요.

5

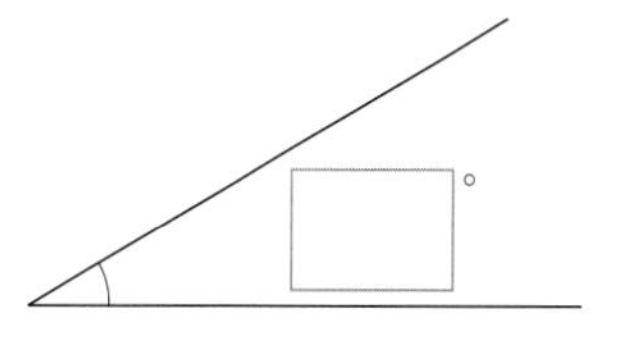

□°

6

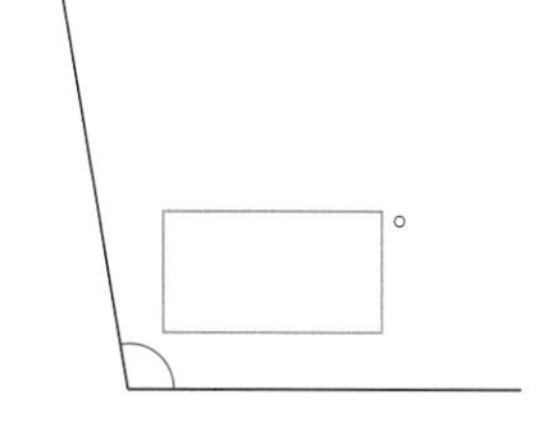

□°

7

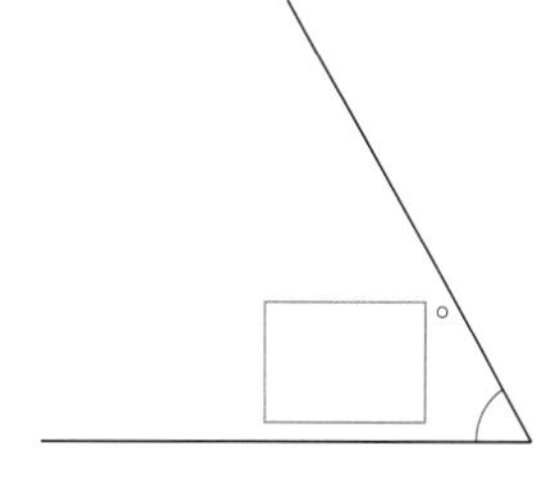

□°

8

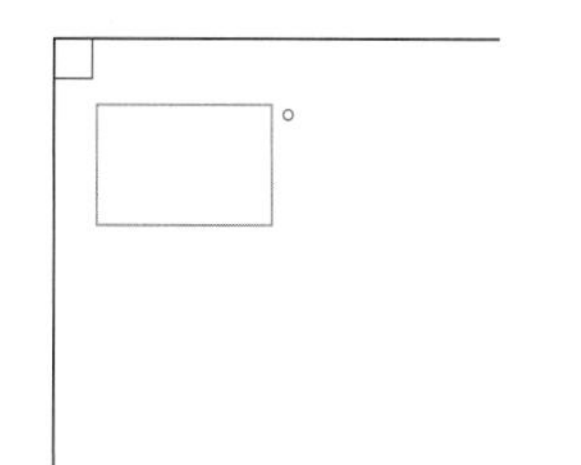

□°

9

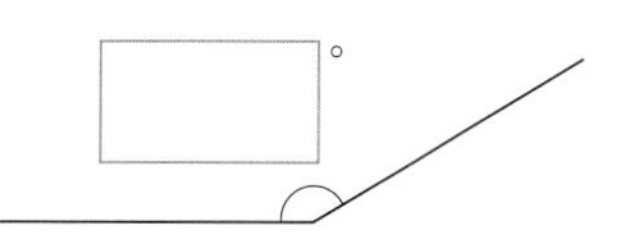

□°

3 각 그리기

각도기와 자를 이용하여 주어진 각도와 크기가 같은 각을 그려 보세요.

1

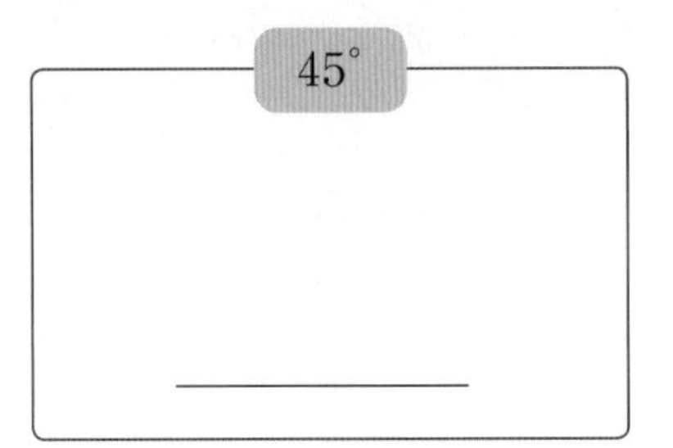

2

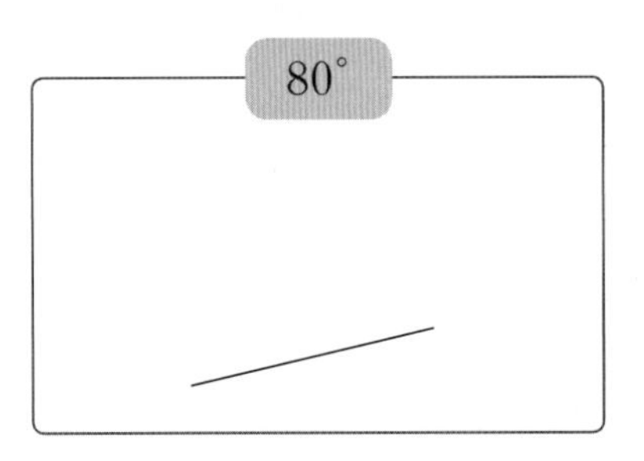

3

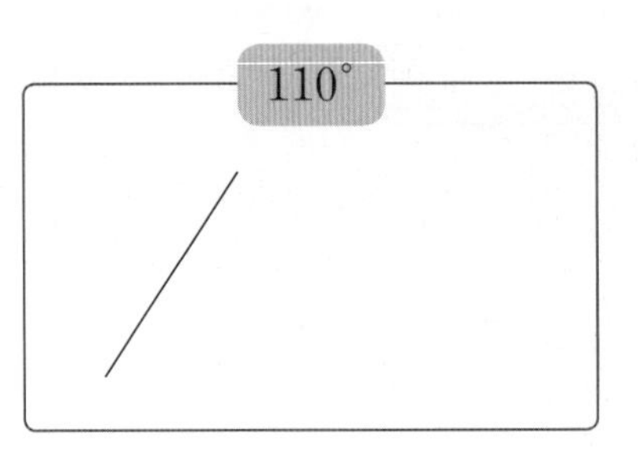

4

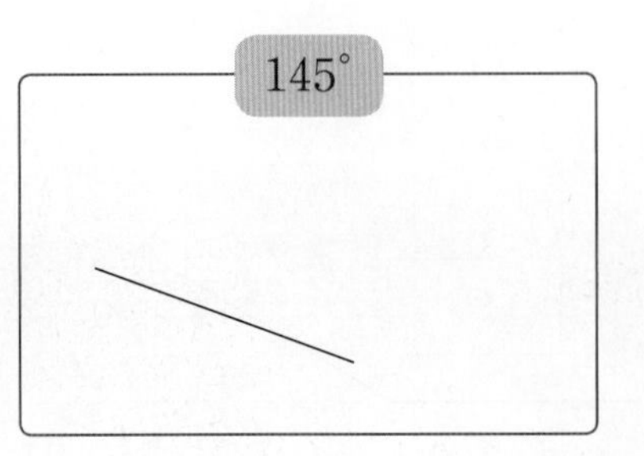

각도기와 자를 이용하여 주어진 각도와 크기가 같은 각을 그려 보세요.

5

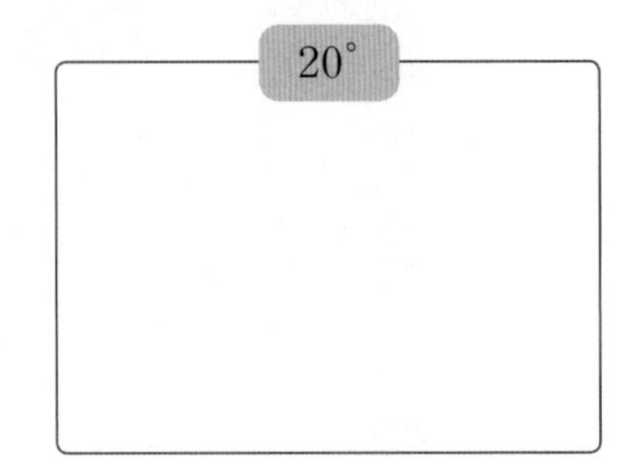

6

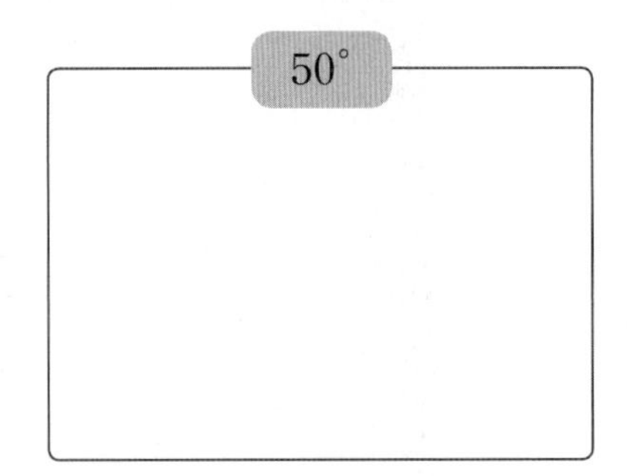

7

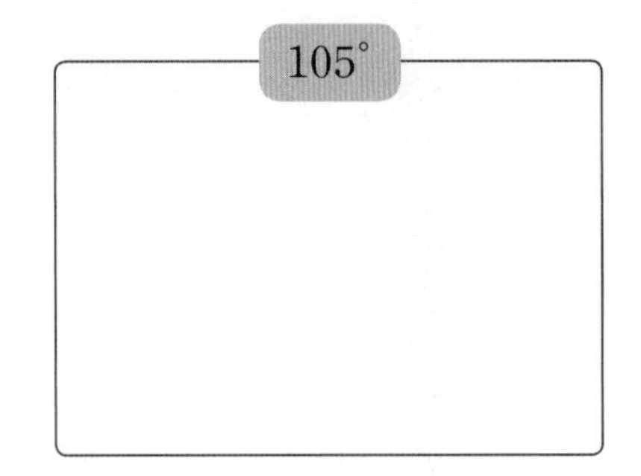

8

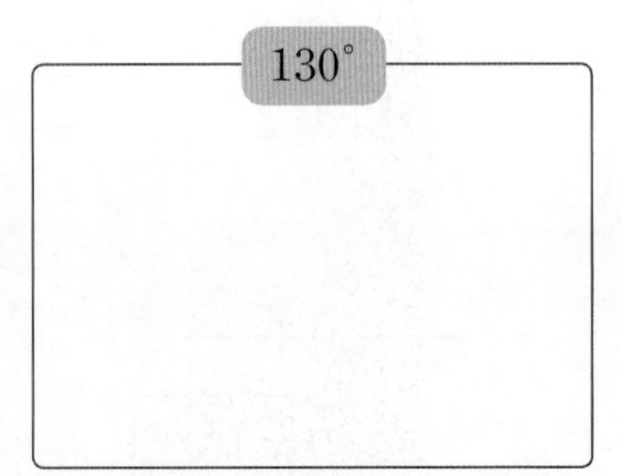

직각보다 작은 각과 직각보다 큰 각 알아보기

주어진 각이 예각이면 '예', 직각이면 '직', 둔각이면 '둔'이라고 써 보세요.

1

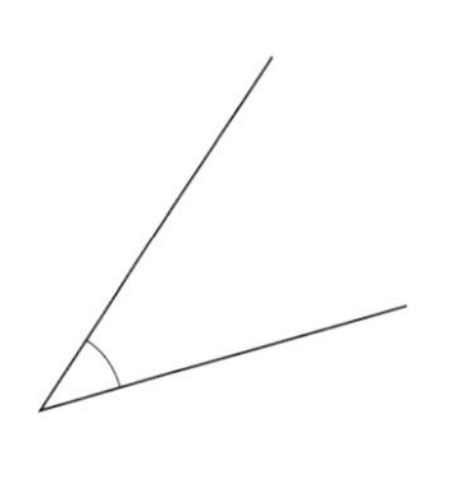

(　　　　　　　　)

2

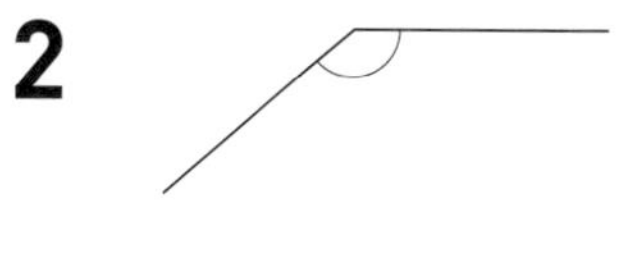

(　　　　　　　　)

3

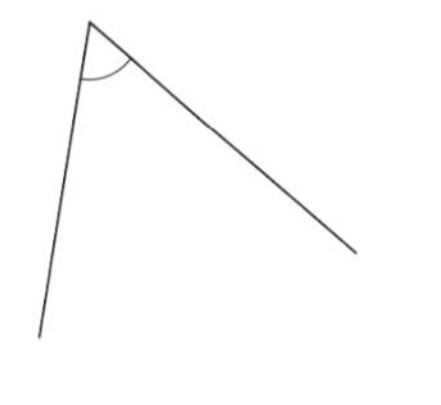

(　　　　　　　　)

4

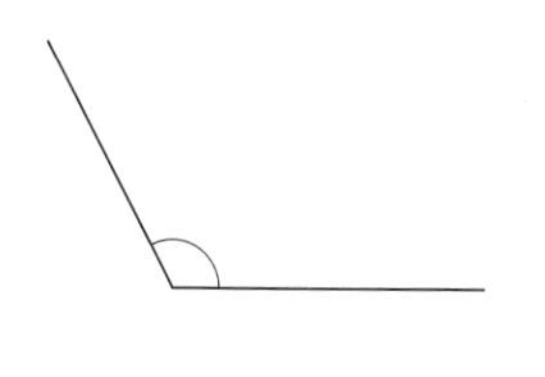

(　　　　　　　　)

5

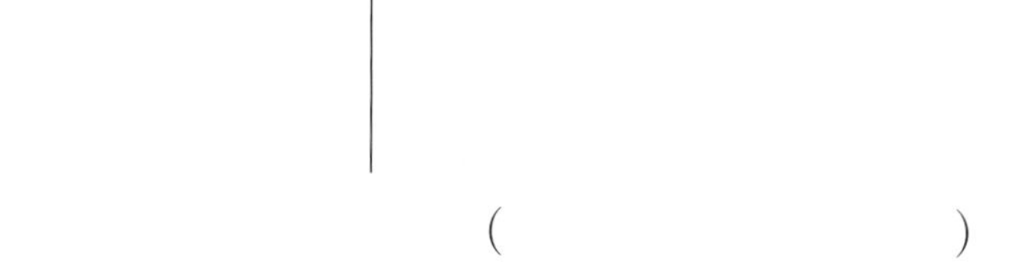

(　　　　　　　　)

주어진 선분을 이용하여 예각과 둔각을 그려 보세요.

6

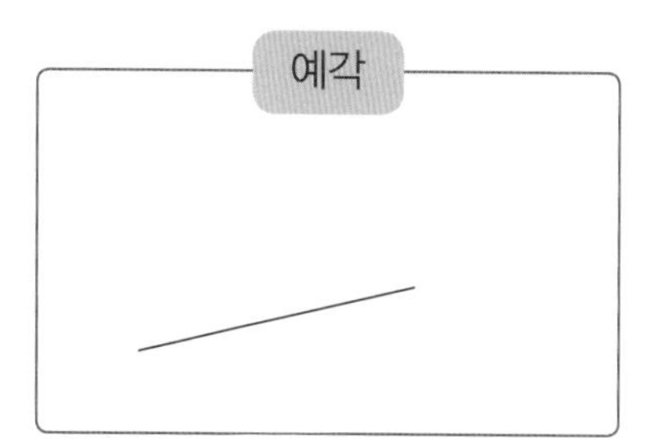

7

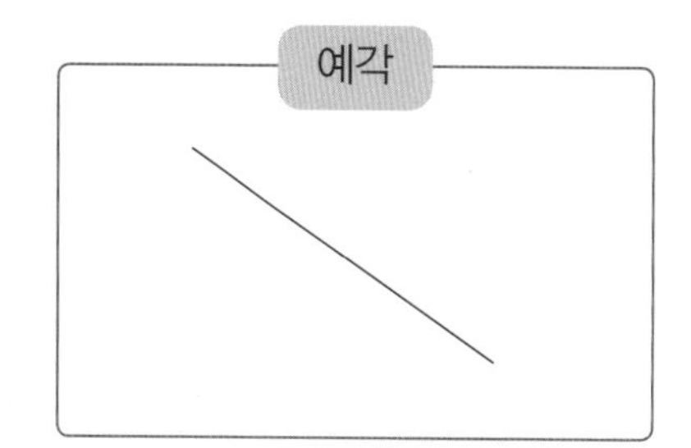

8

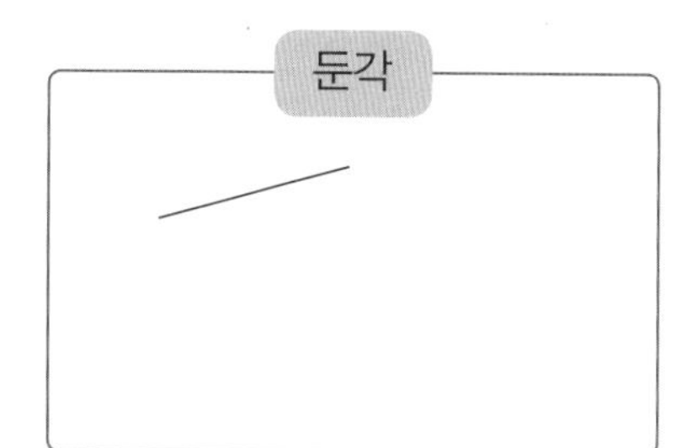

9

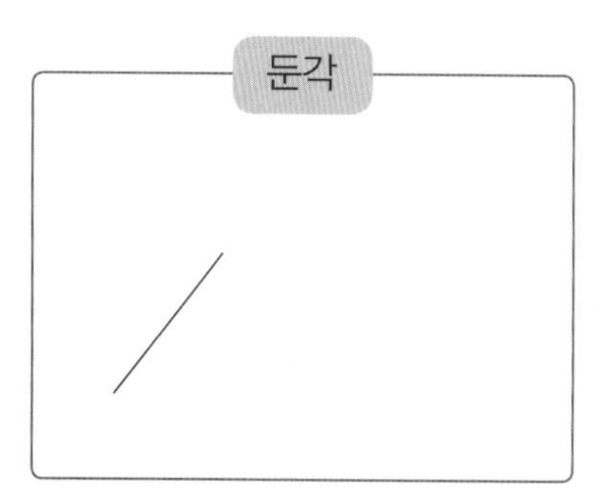

5 각도 어림하기

 각도를 어림하고 각도기로 재어 확인해 보세요.

1

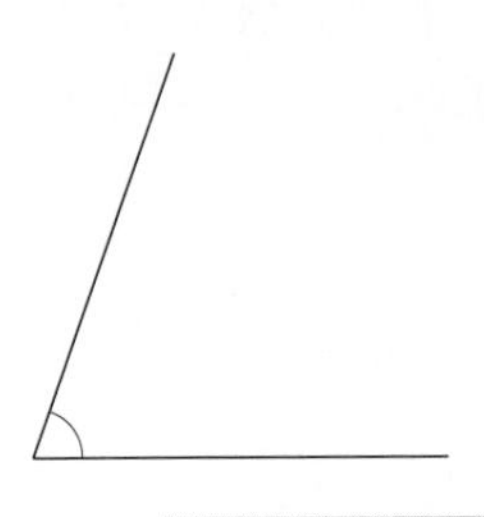

어림한 각도	잰 각도
약	

2

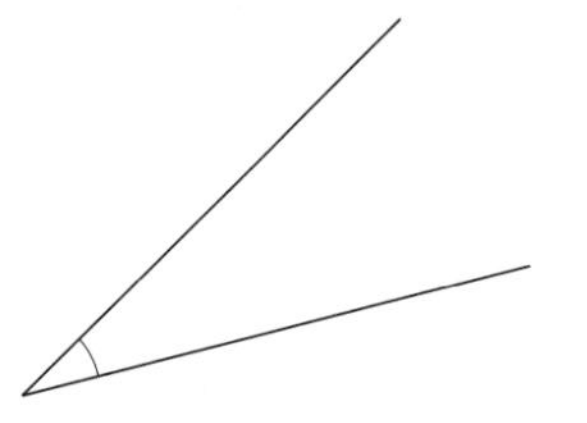

어림한 각도	잰 각도
약	

3

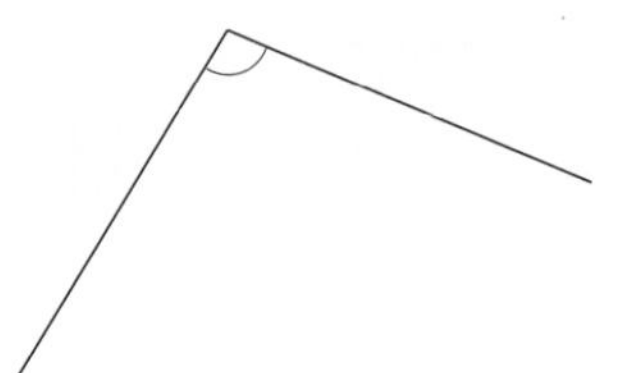

어림한 각도	잰 각도
약	

4

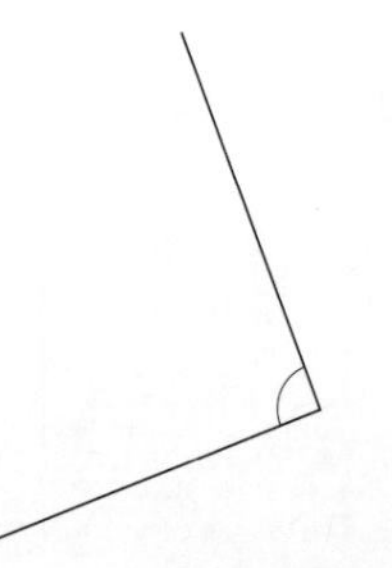

어림한 각도	잰 각도
약	

5

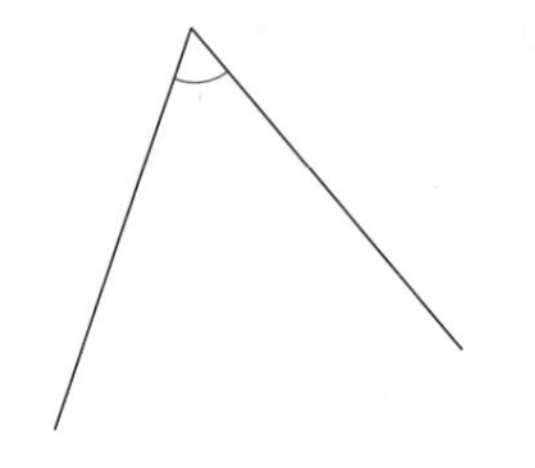

어림한 각도	잰 각도
약	

6

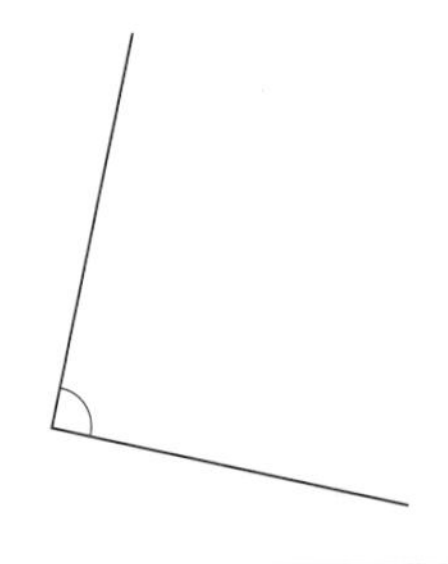

어림한 각도	잰 각도
약	

7

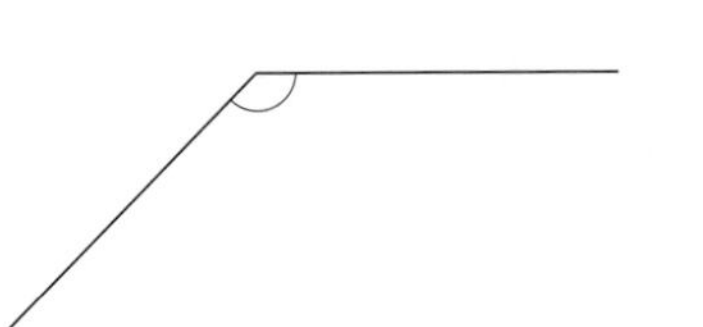

어림한 각도	잰 각도
약	

8

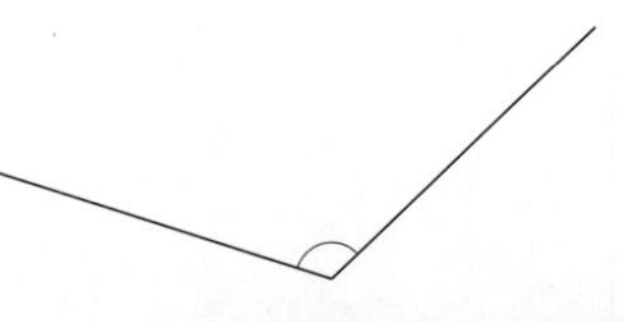

어림한 각도	잰 각도
약	

각도기를 이용하여 각도를 각각 재어 보고 두 각도의 합과 차를 구해 보세요.

1

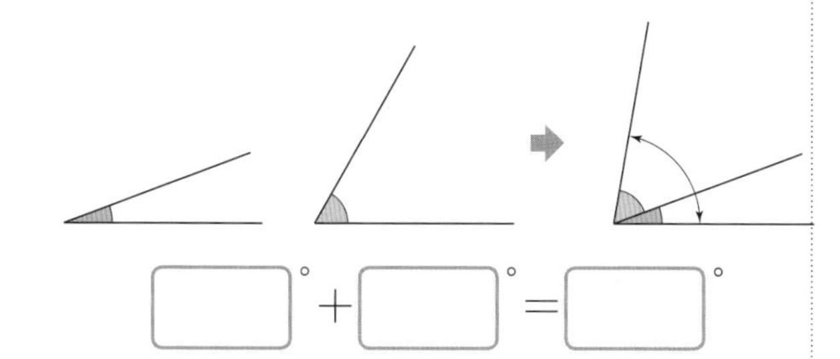

□° + □° = □°

2

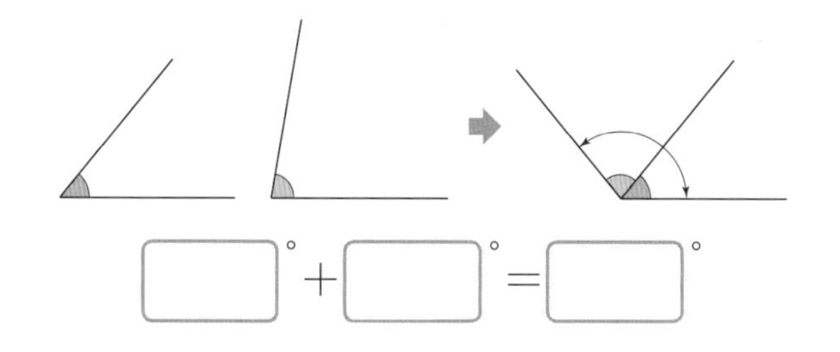

□° + □° = □°

3

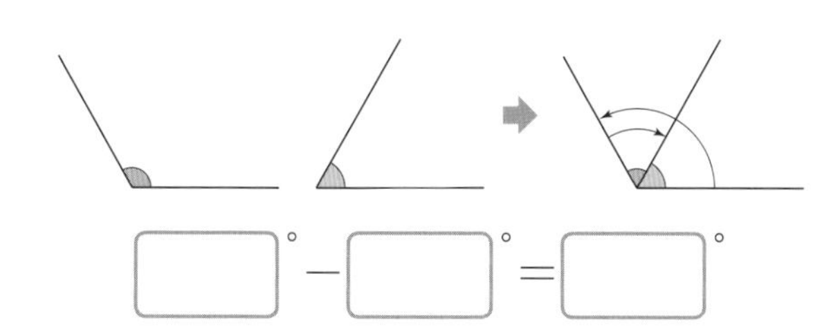

□° − □° = □°

4

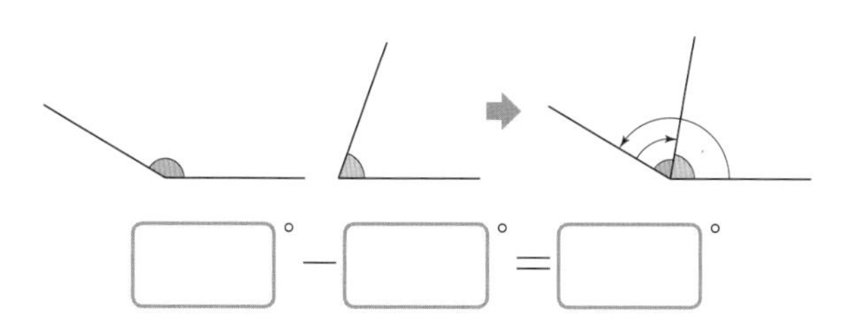

□° − □° = □°

각도의 합을 구해 보세요.

5 $23^\circ + 48^\circ =$ □°

6 $49^\circ + 94^\circ =$ □°

7 $64^\circ + 75^\circ =$ □°

8 $48^\circ + 105^\circ =$ □°

9 $98^\circ + 79^\circ =$ □°

10 $126^\circ + 52^\circ =$ □°

11 $48^\circ + 117^\circ =$ □°

12 $29^\circ + 108^\circ =$ □°

13 $132^\circ + 33^\circ =$ □°

14 $158^\circ + 47^\circ =$ □°

두 각도의 차를 구해 보세요.

1 $47^\circ-25^\circ=$ □$^\circ$

2 $69^\circ-17^\circ=$ □$^\circ$

3 $89^\circ-55^\circ=$ □$^\circ$

4 $110^\circ-45^\circ=$ □$^\circ$

5 $100^\circ-39^\circ=$ □$^\circ$

6 $98^\circ-69^\circ=$ □$^\circ$

7 $103-56^\circ=$ □$^\circ$

8 $112^\circ-87^\circ=$ □$^\circ$

9 $156^\circ-91^\circ=$ □$^\circ$

10 $165^\circ-127^\circ=$ □$^\circ$

두 각도의 합과 차를 구해 보세요.

11

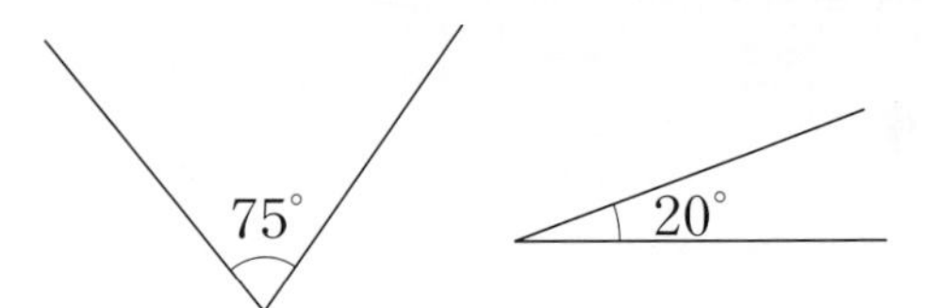

각도의 합: □°

각도의 차: □°

12

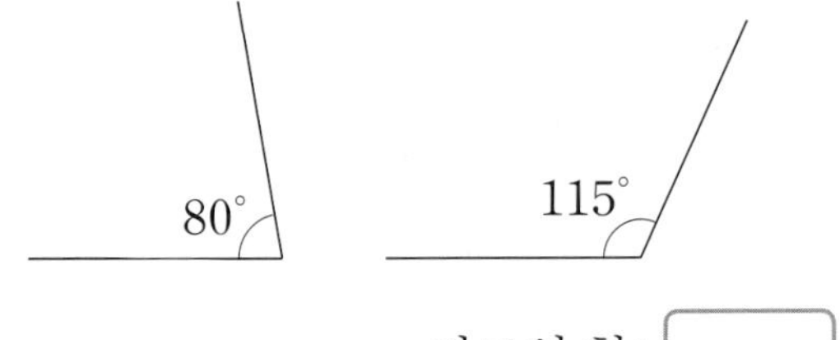

각도의 합: □°

각도의 차: □°

13

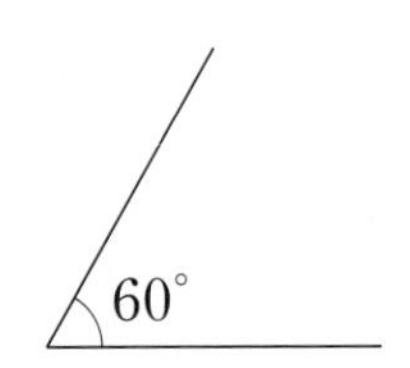

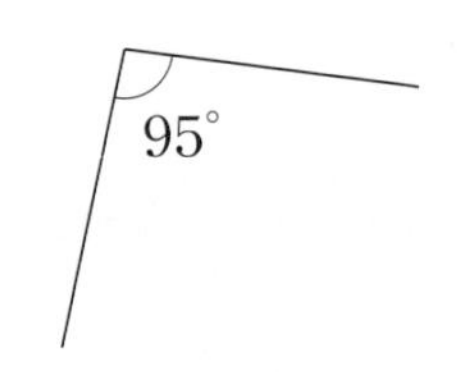

각도의 합: □°

각도의 차: □°

14

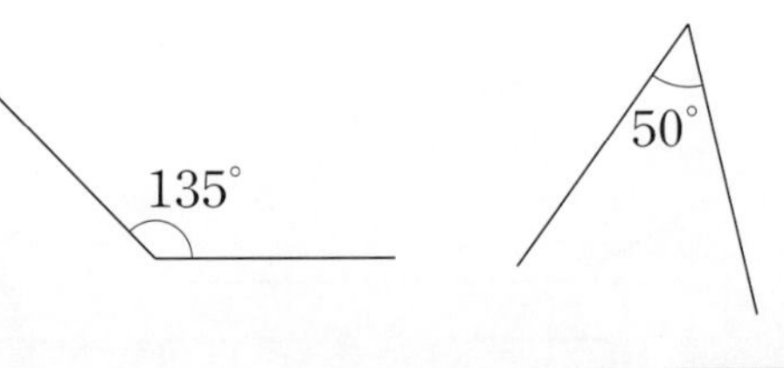

각도의 합: □°

각도의 차: □°

※ □ 안에 알맞은 수를 써넣으세요.

1

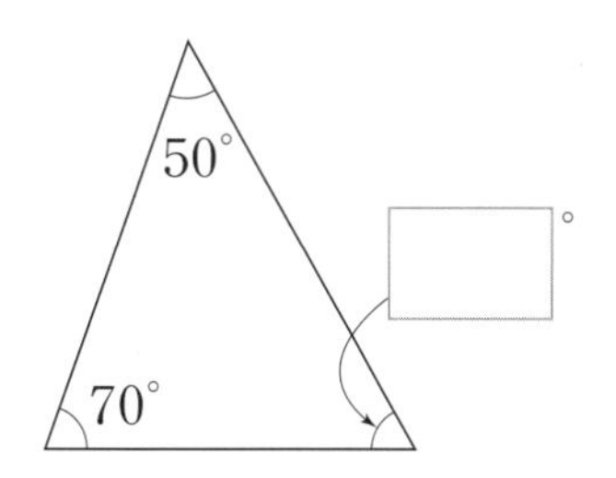

2

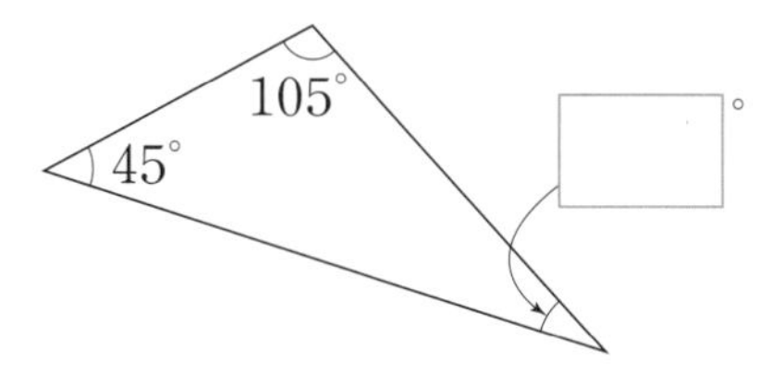

3

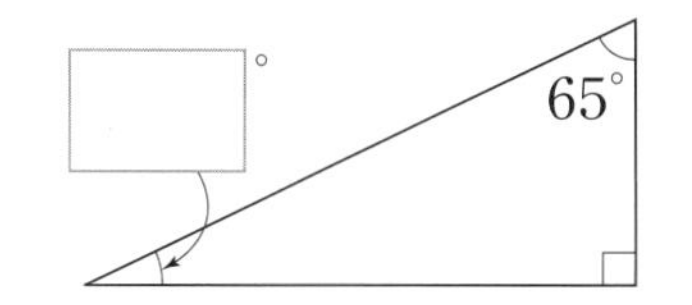

4

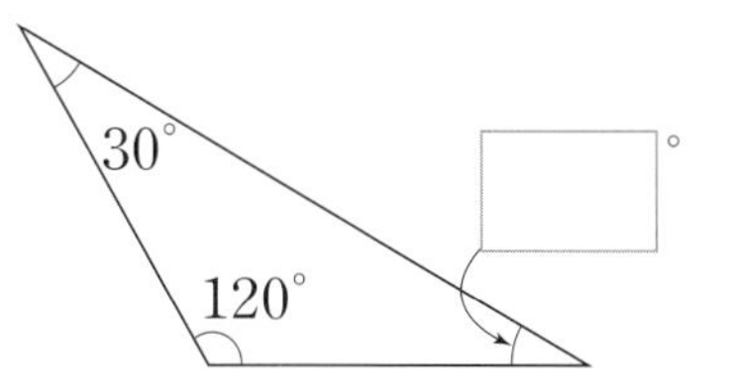

5

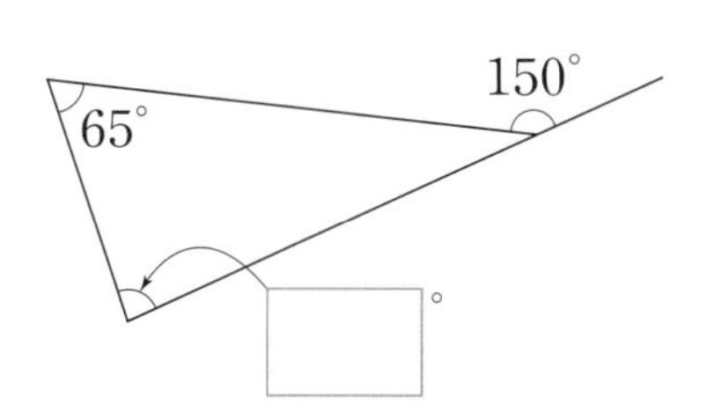

※ ㉠과 ㉡의 각도의 합을 구해 보세요.

6

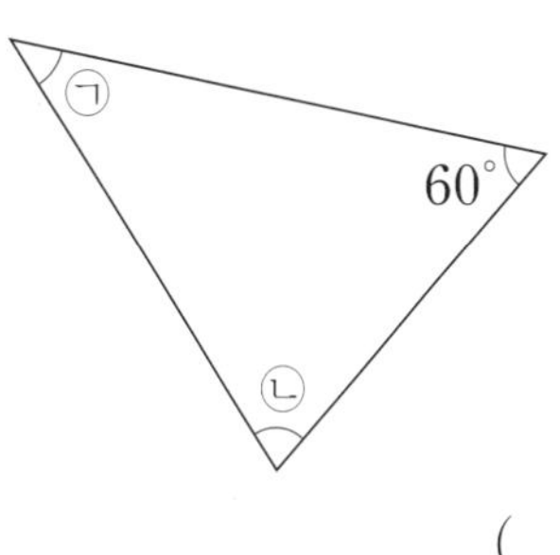

( )

7

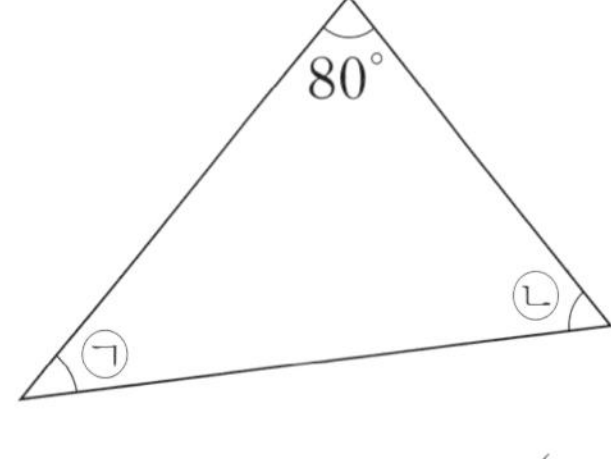

( )

8

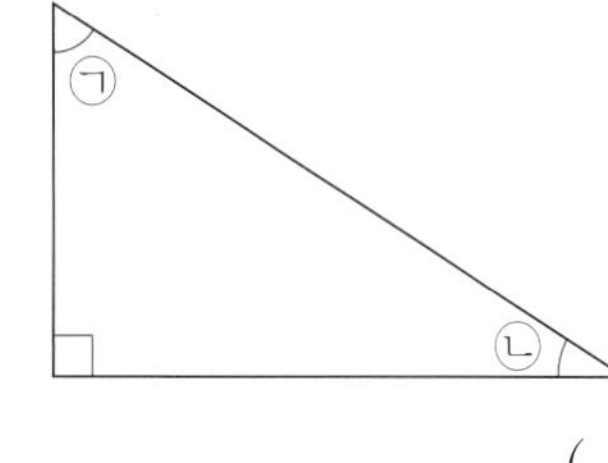

( )

9

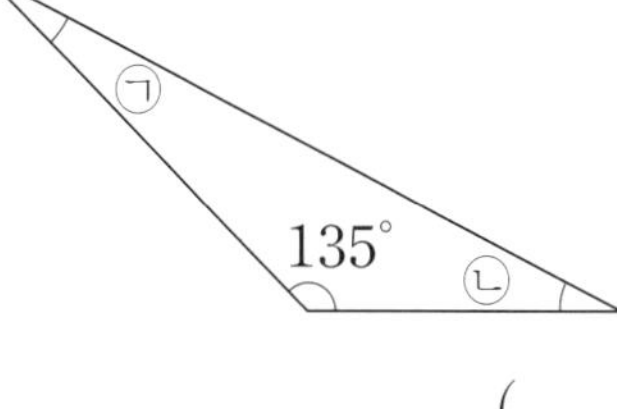

( )

10

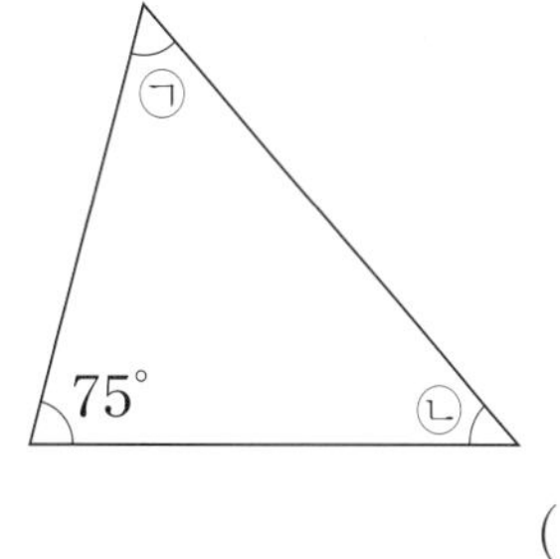

( )

🔅 □ 안에 알맞은 수 를 써넣으세요.

1

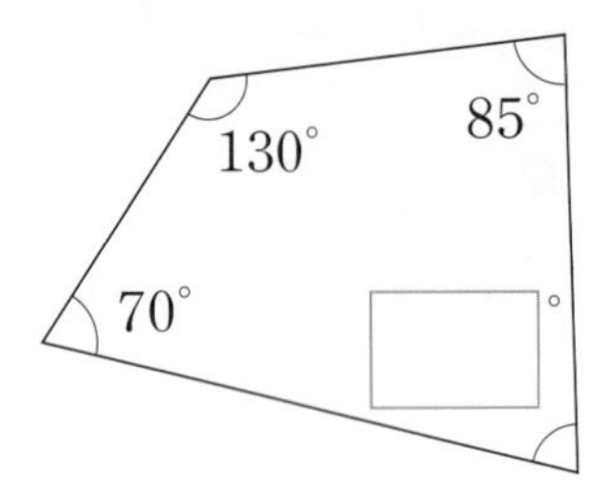

2

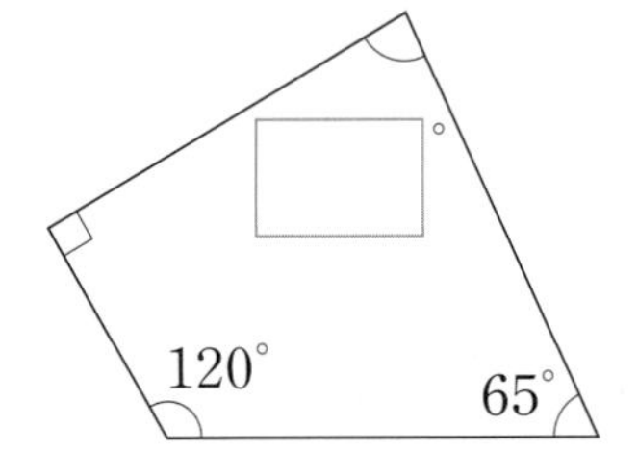

3

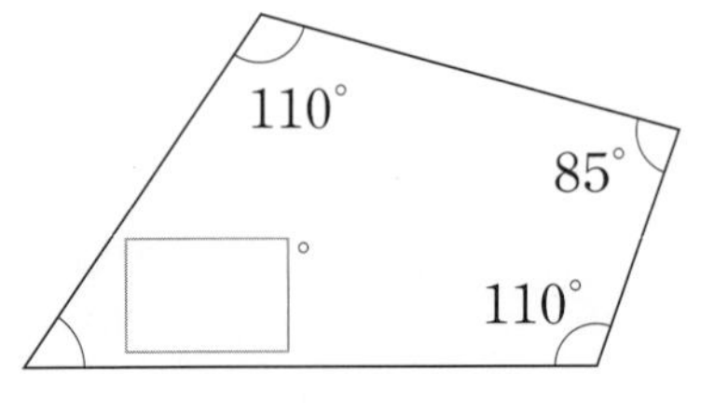

4

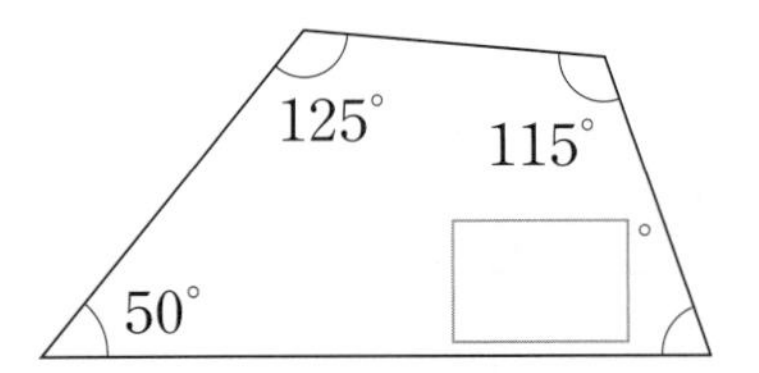

5

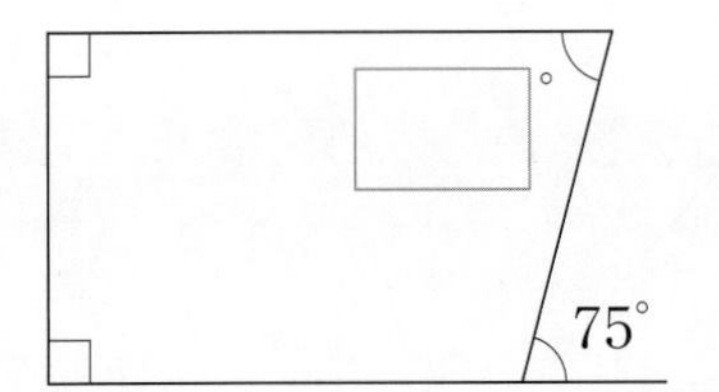

🔅 ㉠과 ㉡의 각도의 합을 구해 보세요.

6

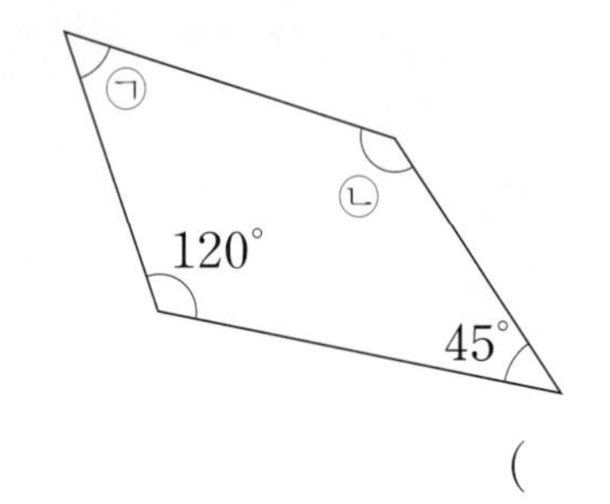

(　　　　　　　　　　)

7

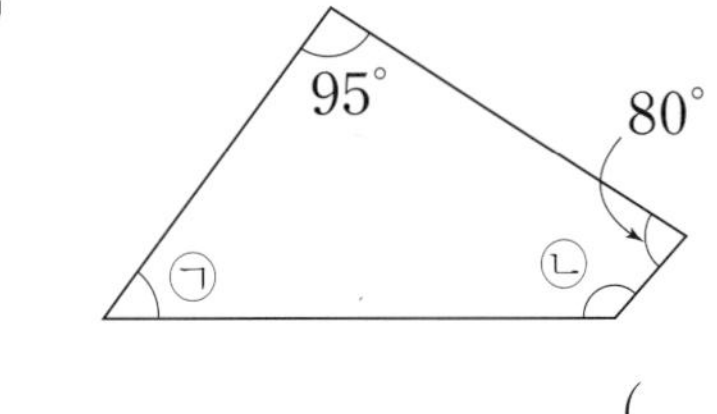

(　　　　　　　　　　)

8

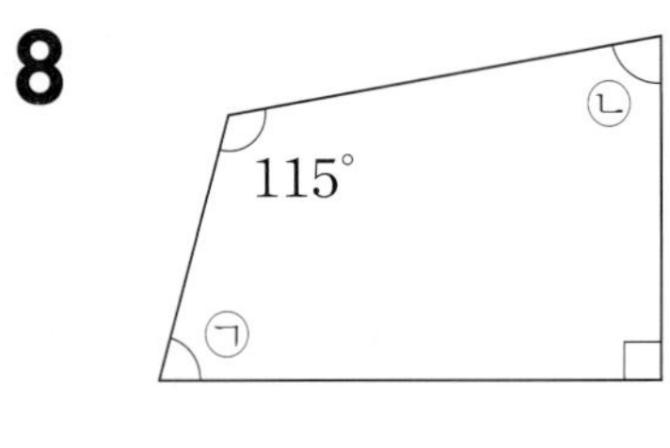

(　　　　　　　　　　)

9

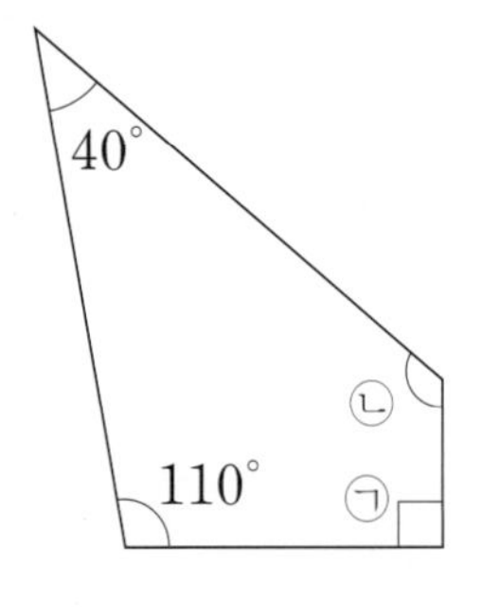

(　　　　　　　　　　)

10

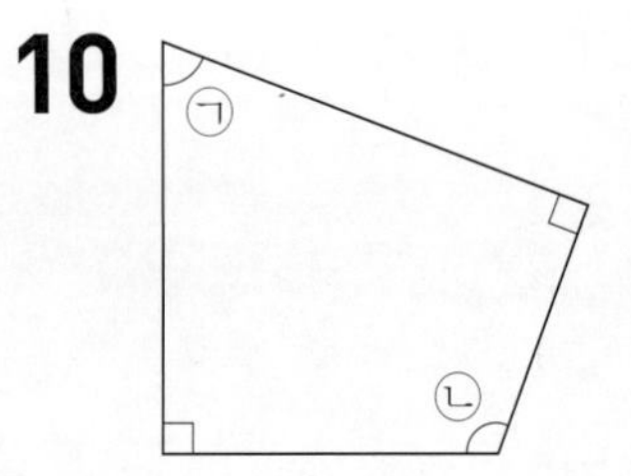

(　　　　　　　　　　)

3 곱셈과 나눗셈

학습 내용	학습한 날짜	맞힌 문제 수
1. (세 자리 수)×(몇십)(1)	월 일	/ 10
2. (세 자리 수)×(몇십)(2)	월 일	/ 10
3. (세 자리 수)×(두 자리 수)(1)	월 일	/ 9
4. (세 자리 수)×(두 자리 수)(2)	월 일	/ 16
5. 곱셈을 이용하여 실생활 문제 해결하기	월 일	/ 7
6. 몇십으로 나누기(1)	월 일	/ 15
7. 몇십으로 나누기(2)	월 일	/ 14
8. 몇십몇으로 나누기(1)	월 일	/ 12
9. 몇십몇으로 나누기(2)	월 일	/ 9
10. 몇십몇으로 나누기(3)	월 일	/ 12
11. 몇십몇으로 나누기(4)	월 일	/ 12
12. 몇십몇으로 나누기(5)	월 일	/ 6
13. 몇십몇으로 나누기(6)	월 일	/ 8

다음 표를 채워 보세요.

1

	천의 자리	백의 자리	십의 자리	일의 자리		결과
125		1	2	5	……	125
125×6					……	
125×6의 10배					……	

2

	천의 자리	백의 자리	십의 자리	일의 자리		결과
245		2	4	5	……	245
245×4					……	
245×4의 10배					……	

3

	천의 자리	백의 자리	십의 자리	일의 자리		결과
378		3	7	8	……	378
378×2					……	
378×2의 10배					……	

4

	천의 자리	백의 자리	십의 자리	일의 자리		결과
413		4	1	3	……	413
413×2					……	
413×2의 10배					……	

□ 안에 알맞은 수를 써넣으세요.

5

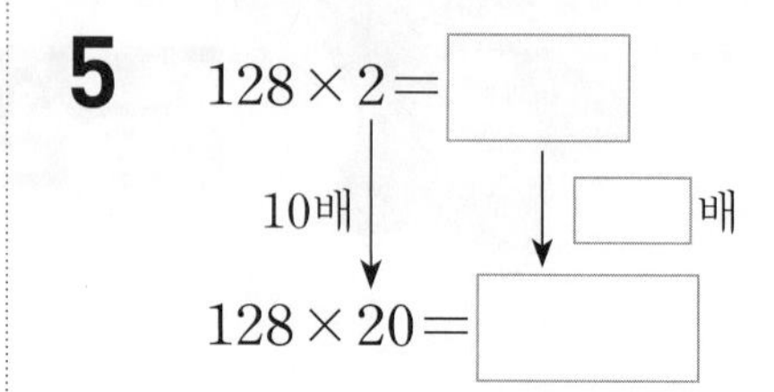

6

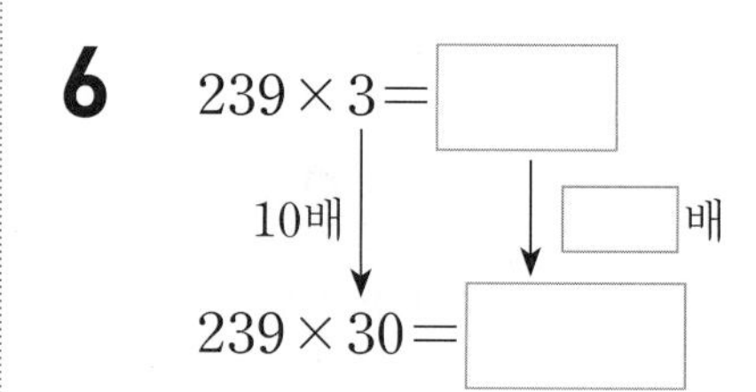

7

324×5= □

10배 ↓ ↓ □배

324×50= □

8

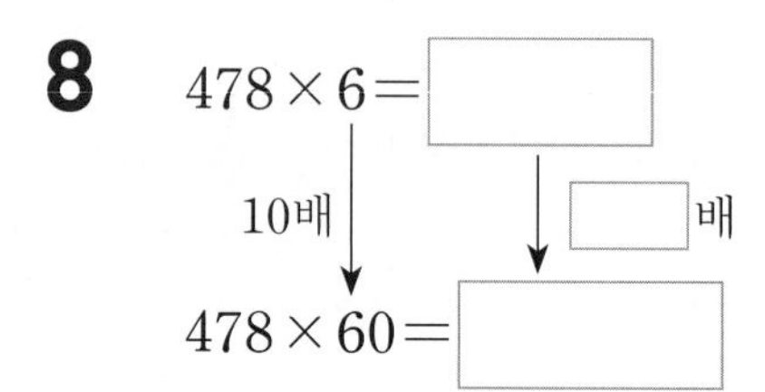

9

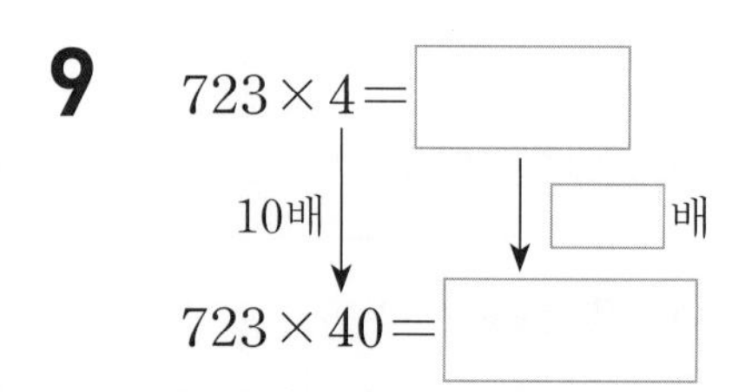

10

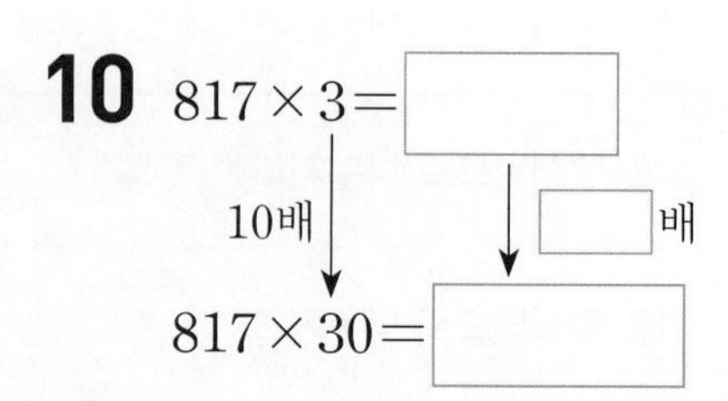

2 
(세 자리 수)×(몇십)(2)

□ 안에 알맞은 수를 써넣으세요.

1

$$\begin{array}{r} 238 \\ \times \quad 5 \\ \hline \square \end{array} \qquad \begin{array}{r} 238 \\ \times \quad 50 \\ \hline \square \end{array}$$

□배

2

$$\begin{array}{r} 392 \\ \times \quad 4 \\ \hline \square \end{array} \qquad \begin{array}{r} 392 \\ \times \quad 40 \\ \hline \square \end{array}$$

□배

3

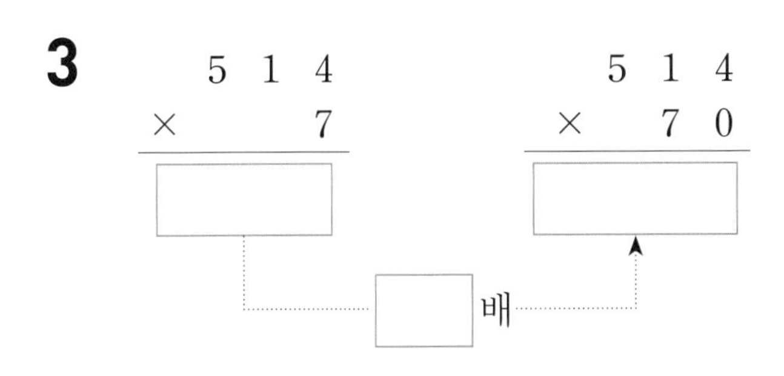

$$\begin{array}{r} 514 \\ \times \quad 7 \\ \hline \square \end{array} \qquad \begin{array}{r} 514 \\ \times \quad 70 \\ \hline \square \end{array}$$

□배

4

$$\begin{array}{r} 753 \\ \times \quad 6 \\ \hline \square \end{array} \qquad \begin{array}{r} 753 \\ \times \quad 60 \\ \hline \square \end{array}$$

□배

계산해 보세요.

5

$$\begin{array}{r} 186 \\ \times \quad 30 \\ \hline \end{array}$$

6

$$\begin{array}{r} 278 \\ \times \quad 60 \\ \hline \end{array}$$

7

$$\begin{array}{r} 325 \\ \times \quad 70 \\ \hline \end{array}$$

8

$$\begin{array}{r} 443 \\ \times \quad 50 \\ \hline \end{array}$$

9

$$\begin{array}{r} 637 \\ \times \quad 80 \\ \hline \end{array}$$

10

$$\begin{array}{r} 815 \\ \times \quad 40 \\ \hline \end{array}$$

□ 안에 알맞은 수를 써넣으세요.

1

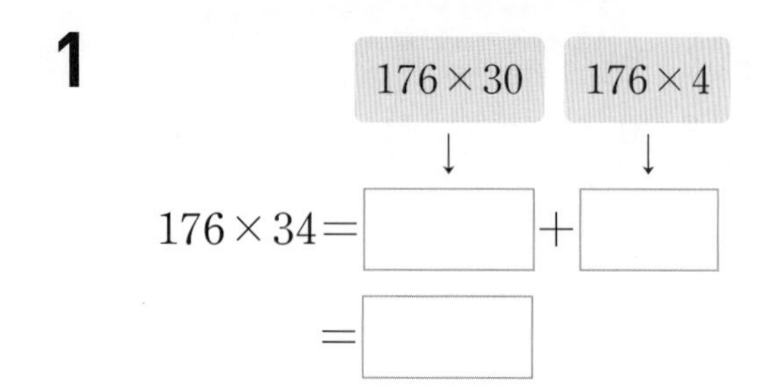

2

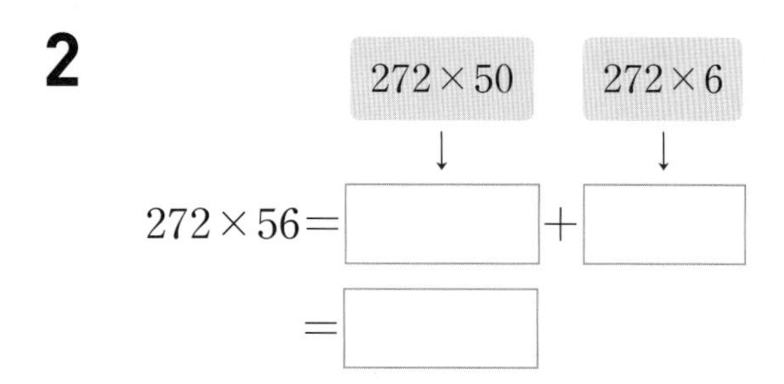

3

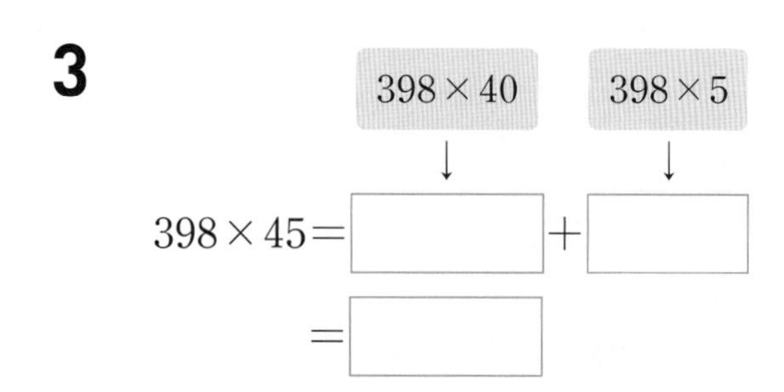

4

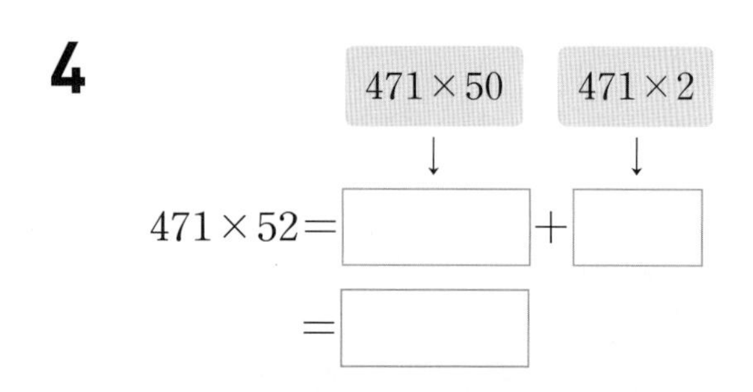

5

523×20 ↓ 523×7 ↓

523×27=□+□

=□

□ 안에 알맞은 수를 써넣으세요.

6

$$\begin{array}{r} 1\ 8\ 4 \\ \times\ \ \ 3\ 6 \\ \hline \end{array}$$

□ ← 184×6

□ ← 184×30

□

7

$$\begin{array}{r} 2\ 3\ 7 \\ \times\ \ \ 4\ 2 \\ \hline \end{array}$$

□ ← 237×2

□ ← 237×40

□

8

$$\begin{array}{r} 3\ 1\ 9 \\ \times\ \ \ 6\ 3 \\ \hline \end{array}$$

□ ← 319×3

□ ← 319×60

□

9

$$\begin{array}{r} 6\ 4\ 7 \\ \times\ \ \ 2\ 9 \\ \hline \end{array}$$

□ ← 647×9

□ ← 647×20

□

4 (세 자리 수)×(두 자리 수)(2)

✺ 계산해 보세요.

1
$$\begin{array}{r} 259 \\ \times \quad 38 \\ \hline \end{array}$$

2
$$\begin{array}{r} 308 \\ \times \quad 47 \\ \hline \end{array}$$

3
$$\begin{array}{r} 430 \\ \times \quad 73 \\ \hline \end{array}$$

4
$$\begin{array}{r} 547 \\ \times \quad 19 \\ \hline \end{array}$$

5
$$\begin{array}{r} 615 \\ \times \quad 56 \\ \hline \end{array}$$

6
$$\begin{array}{r} 736 \\ \times \quad 29 \\ \hline \end{array}$$

✺ 계산해 보세요.

7 118×74

8 231×69

9 393×56

10 482×35

11 525×41

12 607×48

13 619×33

14 773×37

15 832×18

16 924×25

다음 물음에 답하세요.

1 마트에서 650원짜리 오렌지를 15개 샀습니다. 오렌지의 값은 모두 얼마인지 구하세요.

식 $\square \times \square = \square$

답 $\square$원

2 할인 마트에서 940원짜리 공책을 24권 샀습니다. 공책의 값은 모두 얼마인지 구하세요.

식 ______

답 ______

3 은지는 하루에 180 mL의 물을 마십니다. 은지가 21일 동안 마신 물의 양은 모두 몇 mL인지 구하세요.

식 ______

답 ______

4 민주네 가족은 매월 우유를 115개 마십니다. 민주네 가족이 1년 동안 마시는 우유는 모두 몇 개인지 구하세요.

식 ______

답 ______

5 어느 공장에서 기계 한 대가 하루 동안 생산하는 물건은 245개라고 합니다. 이 기계가 28대 있다면 이 공장에서 하루 동안 생산하는 물건은 모두 몇 개인지 구하세요.

식 ______

답 ______

6 어느 제과점에서는 매일 단팥 빵을 125개만 만든다고 합니다. 이 제과점에서 5월 한 달 동안 만드는 단팥 빵은 모두 몇 개인지 구하세요.

식 ______

답 ______

7 지수는 동생과 함께 매일 25분씩 줄넘기를 합니다. 1년을 365일로 계산한다면 지수가 1년 동안 줄넘기를 한 시간은 모두 몇 분인지 구하세요.

식 ______

답 ______

6 몇십으로 나누기(1)

빈칸에 알맞은 수를 써넣고 나눗셈의 몫을 구해 보세요.

1

×20

1	2	3	4	5	6
20	40	60			

$120 \div 20 = \square$

2

×30

1	2	3	4	5	6
30	60	90			

$150 \div 30 = \square$

3

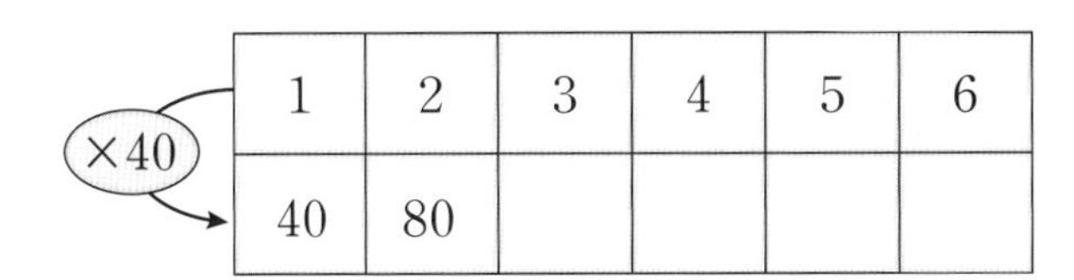

×40

1	2	3	4	5	6
40	80				

$160 \div 40 = \square$

4

×50

1	2	3	4	5	6
50	100				

$250 \div 50 = \square$

5

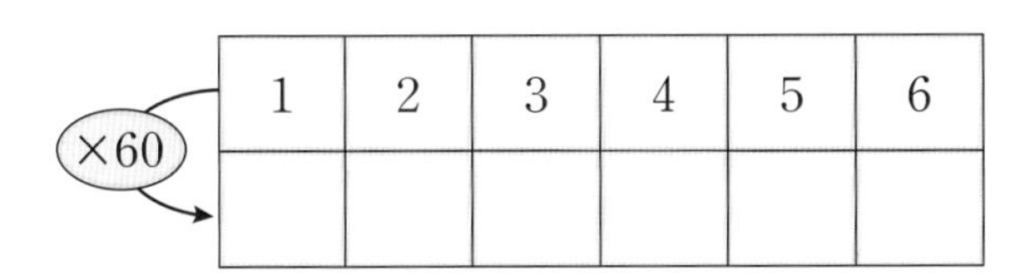

×60

1	2	3	4	5	6

$360 \div 60 = \square$

계산해 보세요.

6 $140 \div 20$

7 $180 \div 30$

8 $210 \div 70$

9 $280 \div 40$

10 $320 \div 40$

11 $350 \div 70$

12 $420 \div 60$

13 $490 \div 70$

14 $540 \div 60$

15 $630 \div 90$

몇십으로 나누기(2)

✱ 계산해 보세요.

1

$80\overline{)160}$

2

$20\overline{)180}$

3

$90\overline{)270}$

4

$40\overline{)360}$

5

$50\overline{)400}$

6

$90\overline{)450}$

7

$60\overline{)480}$

8

$90\overline{)810}$

✱ 계산을 하여 몫과 나머지를 구해 보세요.

9 $150 \div 20$

몫 (　　　　　)
나머지 (　　　　　)

10 $260 \div 40$

몫 (　　　　　)
나머지 (　　　　　)

11 $330 \div 60$

몫 (　　　　　)
나머지 (　　　　　)

12

$70\overline{)290}$

몫 (　　　　　)
나머지 (　　　　　)

13

$60\overline{)550}$

몫 (　　　　　)
나머지 (　　　　　)

14

$80\overline{)660}$

몫 (　　　　　)
나머지 (　　　　　)

어림한 나눗셈의 몫으로 가장 적절한 것에 ○표 하세요.

1 119÷22 | 4 6 40 60

2 153÷31 | 5 6 50 60

3 181÷64 | 3 4 30 40

4 211÷72 | 2 3 20 30

5 317÷48 | 5 6 50 60

6 424÷59 | 6 7 60 70

7 536÷61 | 8 9 80 90

8 638÷77 | 7 8 70 80

□ 안에 알맞은 수를 써넣으세요.

9
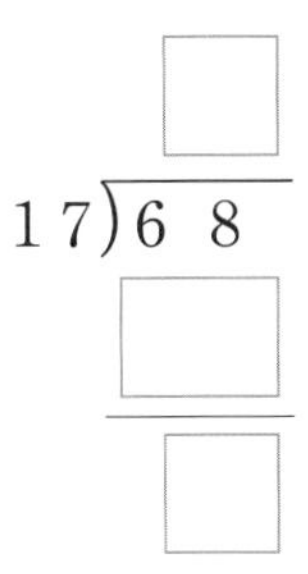

10
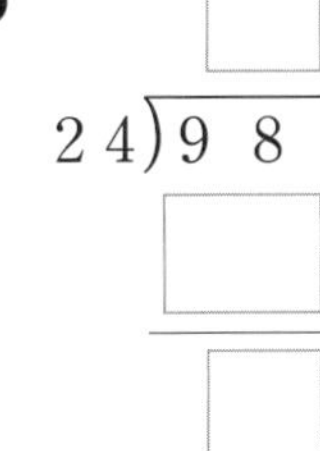

11
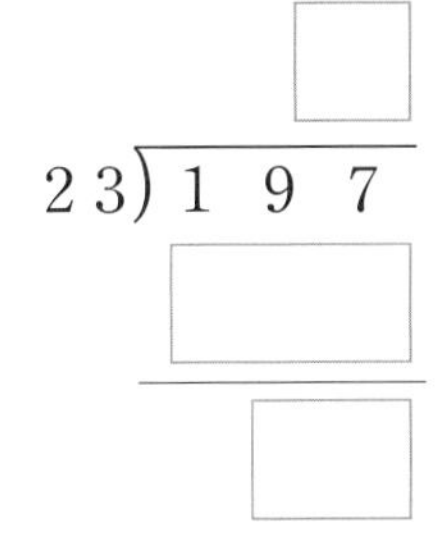

12
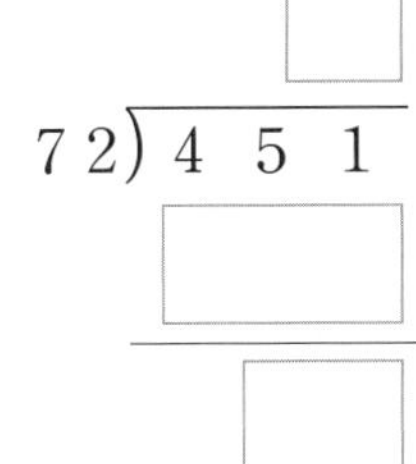

✺ 계산해 보세요.

1

$19\overline{)76}$

2

$25\overline{)81}$

3

$33\overline{)217}$

4

$38\overline{)321}$

5

$54\overline{)493}$

6

$77\overline{)642}$

✺ 계산을 하여 몫과 나머지를 구하고 결과를 확인해 보세요.

7

$22\overline{)144}$

몫 (　　　　　　)
나머지 (　　　　　　)

계산 결과 확인

8

$45\overline{)387}$

몫 (　　　　　　)
나머지 (　　　　　　)

계산 결과 확인

9

$84\overline{)609}$

몫 (　　　　　　)
나머지 (　　　　　　)

계산 결과 확인

✹ 빈칸에 알맞은 수를 써넣고 나눗셈의 몫을 어림해 보세요.

1

×14	10	20	30
	140		

$311 \div 14$의 몫은 ☐보다 크고 ☐보다 작습니다.

2

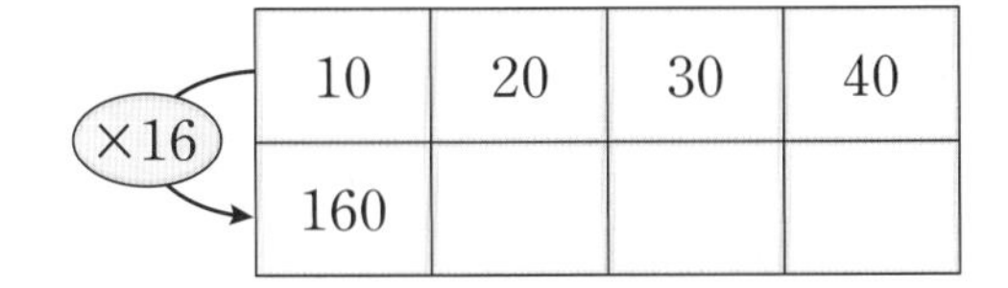

×16	10	20	30	40
	160			

$518 \div 16$의 몫은 ☐보다 크고 ☐보다 작습니다.

3

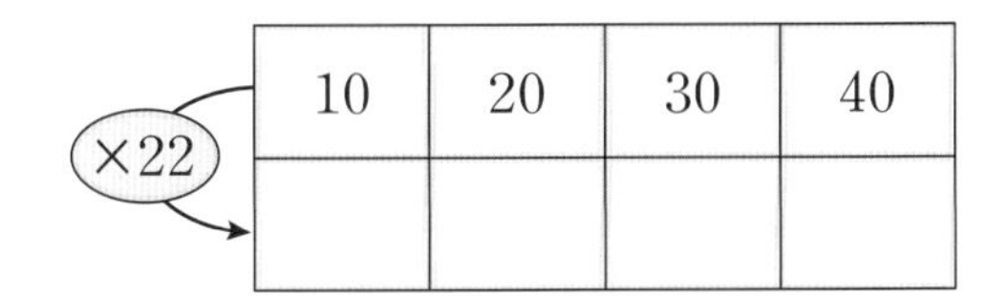

×22	10	20	30	40

$750 \div 22$의 몫은 ☐보다 크고 ☐보다 작습니다.

4

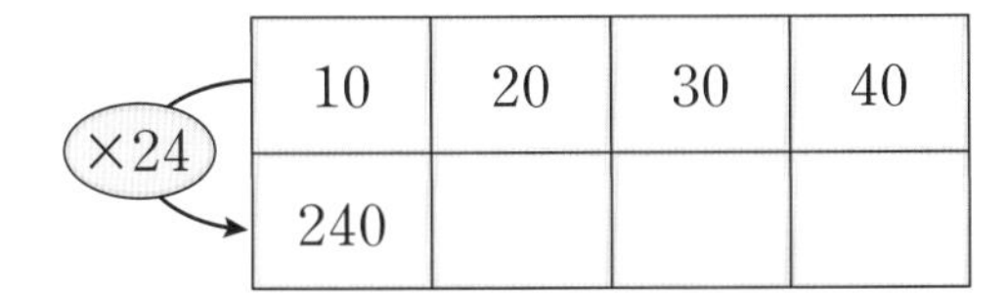

×24	10	20	30	40
	240			

$840 \div 24$의 몫은 ☐보다 크고 ☐보다 작습니다.

✹ 몫이 한 자리 수인 나눗셈에 ○표, 몫이 두 자리 수인 나눗셈에 △표 하세요.

5 $159 \div 12$

(　　　　　)

6 $268 \div 32$

(　　　　　)

7 $347 \div 45$

(　　　　　)

8 $410 \div 29$

(　　　　　)

9 $569 \div 73$

(　　　　　)

10 $603 \div 85$

(　　　　　)

11 $753 \div 66$

(　　　　　)

12 $875 \div 83$

(　　　　　)

몇십몇으로 나누기(4)

계산해 보세요.

1

$18\overline{)306}$

2

$21\overline{)483}$

3

$33\overline{)627}$

4

$29\overline{)754}$

5

$12\overline{)660}$

6

$42\overline{)924}$

7

$14\overline{)378}$

8

$28\overline{)364}$

9

$17\overline{)527}$

10

$34\overline{)646}$

11

$11\overline{)561}$

12

$21\overline{)903}$

몇십몇으로 나누기(5)

□ 안에 알맞은 수를 써넣으세요.

1

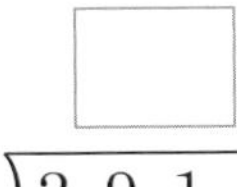

12)291

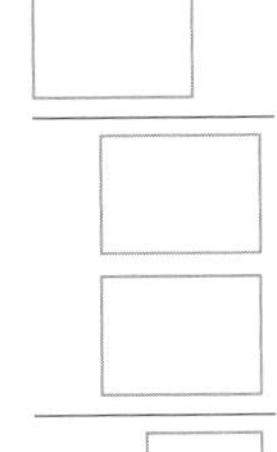

2

15)316

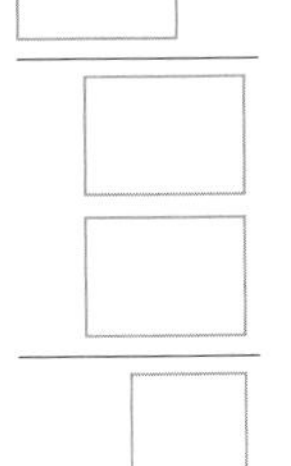

3

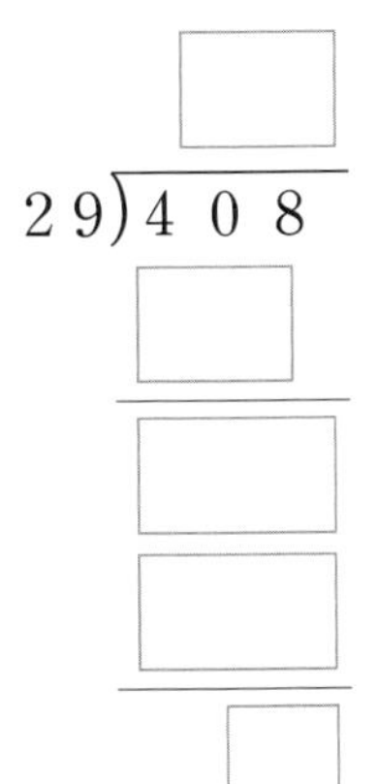

29)408

4

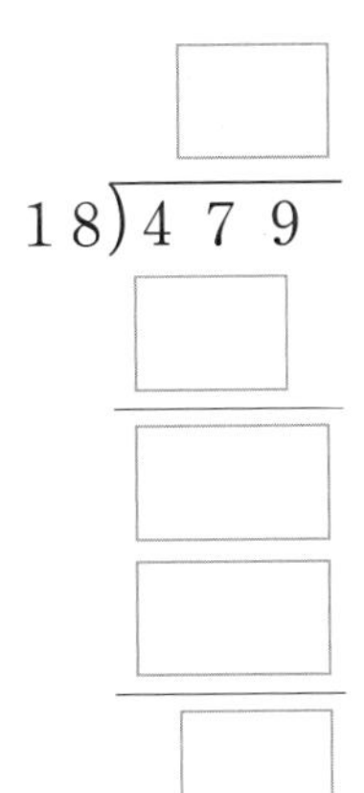

18)479

5

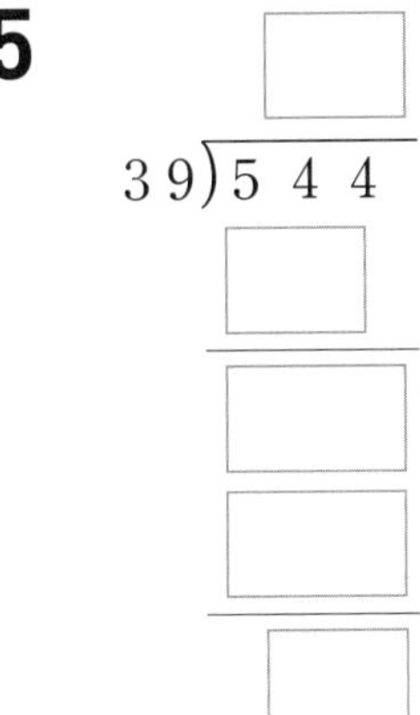

39)544

6

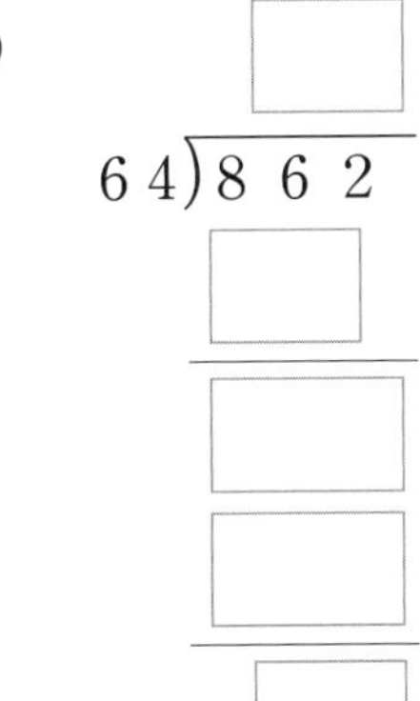

64)862

계산을 하여 몫과 나머지를 구해 보세요.

1

$11\overline{)325}$

몫 (　　　　　　　　)
나머지 (　　　　　　　　)

2

$25\overline{)538}$

몫 (　　　　　　　　)
나머지 (　　　　　　　　)

3

$71\overline{)998}$

몫 (　　　　　　　　)
나머지 (　　　　　　　　)

4

$57\overline{)715}$

몫 (　　　　　　　　)
나머지 (　　　　　　　　)

5

$33\overline{)807}$

몫 (　　　　　　　　)
나머지 (　　　　　　　　)

6

$44\overline{)739}$

몫 (　　　　　　　　)
나머지 (　　　　　　　　)

7

$84\overline{)967}$

몫 (　　　　　　　　)
나머지 (　　　　　　　　)

8

$61\overline{)845}$

몫 (　　　　　　　　)
나머지 (　　　　　　　　)

4 평면도형의 이동

학습 내용	학습한 날짜	맞힌 문제 수
1. 평면도형을 밀어 보기	월 일	/ 8
2. 평면도형을 뒤집어 보기	월 일	/ 8
3. 평면도형을 돌려 보기	월 일	/ 4
4. 평면도형을 뒤집고 돌려 보기	월 일	/ 6
5. 무늬를 꾸며 보기	월 일	/ 6

도형을 주어진 방향으로 밀었을 때의 모양을 그려 보세요.

1

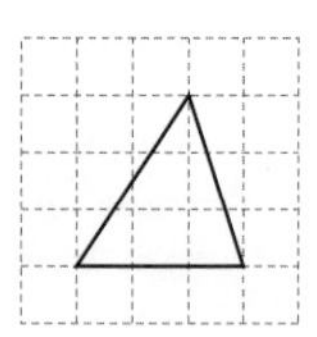

2

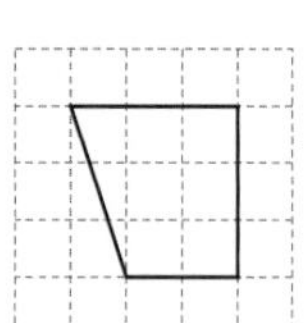

3

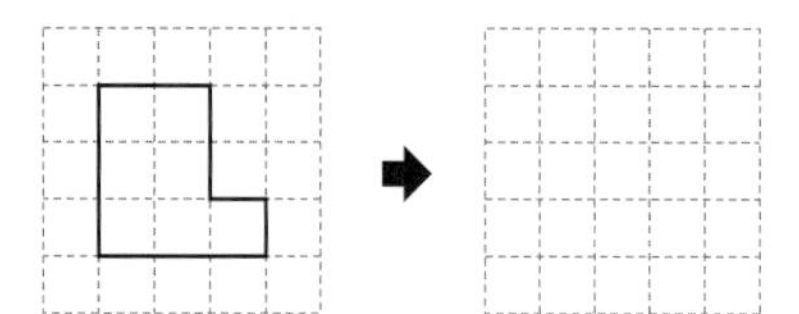

4

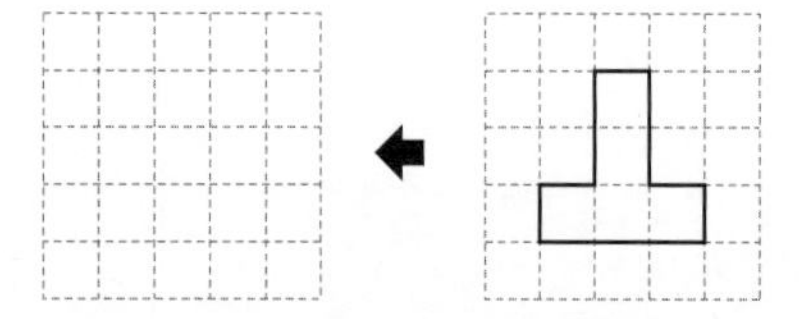

도형을 다음과 같이 밀었을 때의 모양을 그려 보세요.

5 오른쪽으로 6 cm 밀기

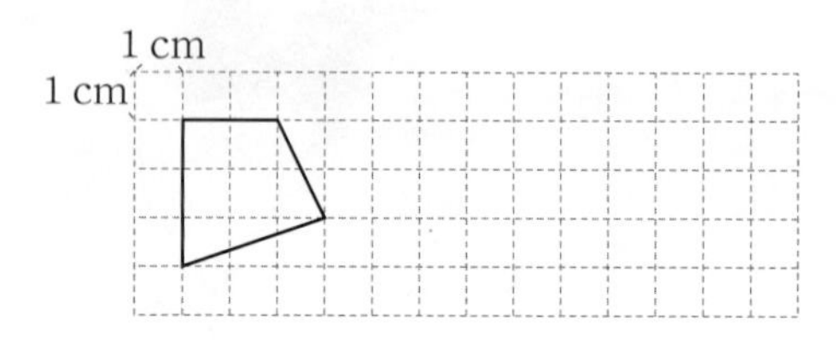

6 왼쪽으로 8 cm 밀기

7 오른쪽으로 4 cm 민 뒤 아래쪽으로 2 cm 밀기

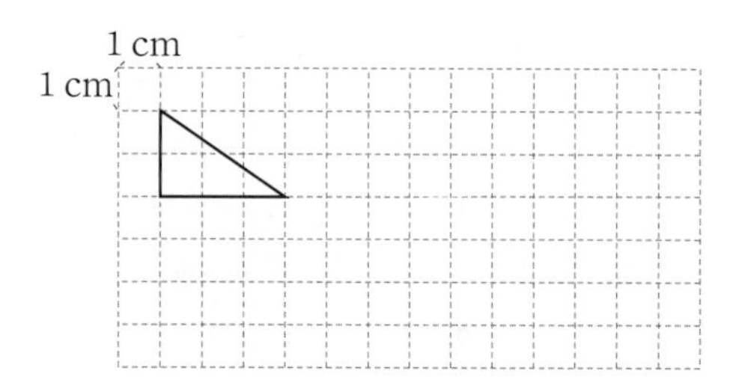

8 아래쪽으로 1 cm 민 뒤 왼쪽으로 5 cm 밀기

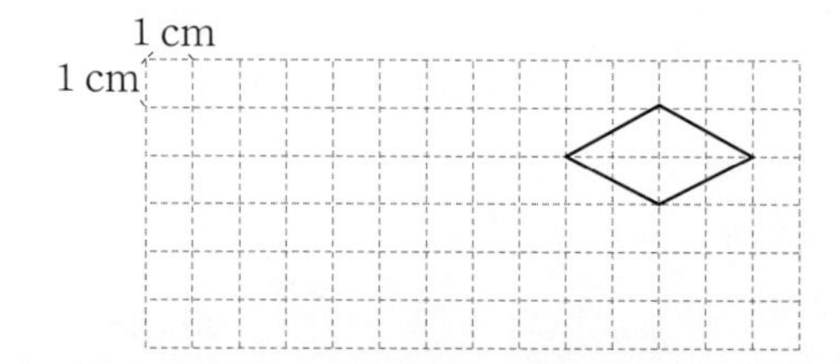

평면도형을 뒤집어 보기

도형을 주어진 방향으로 뒤집었을 때의 모양을 그려 보세요.

1

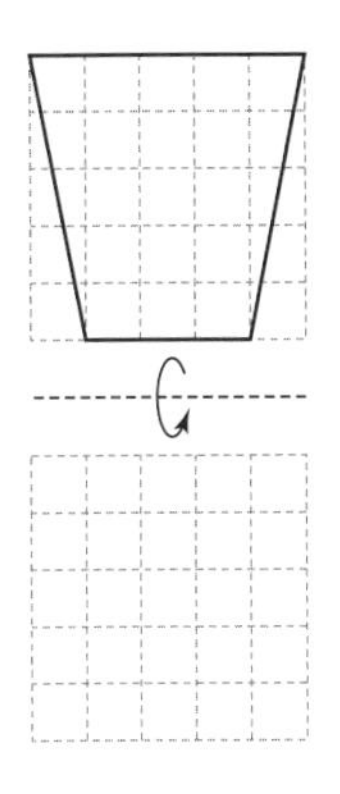

2

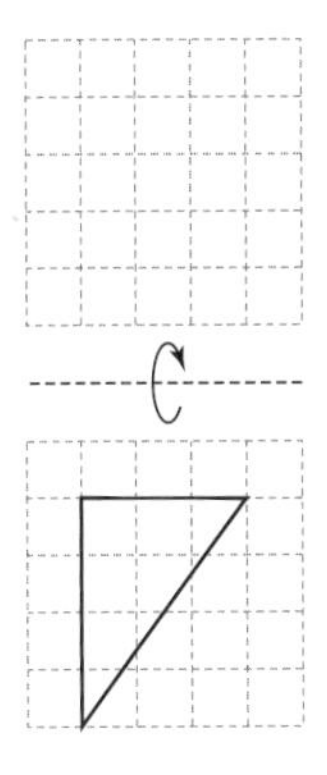

3

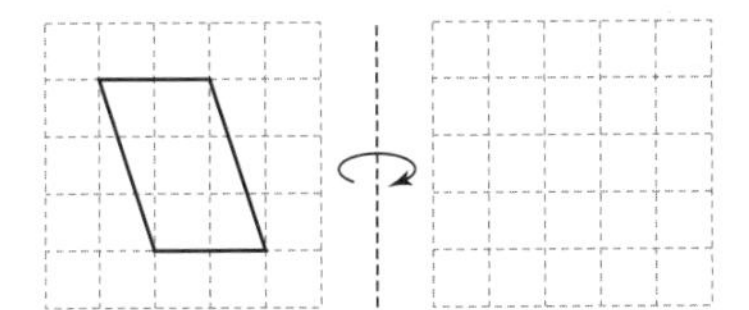

4

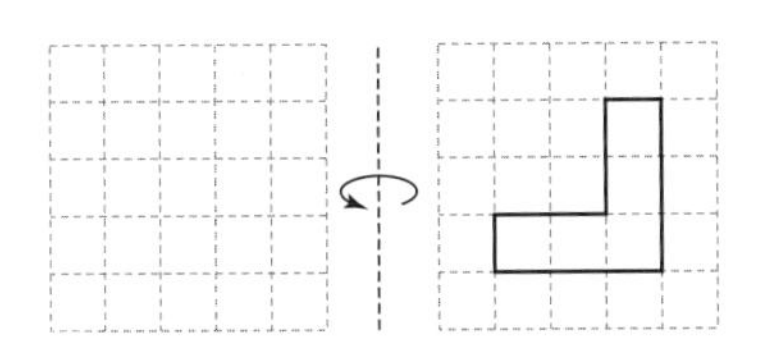

도형을 주어진 방향으로 각각 뒤집었을 때의 모양을 각각 그려 보세요.

5

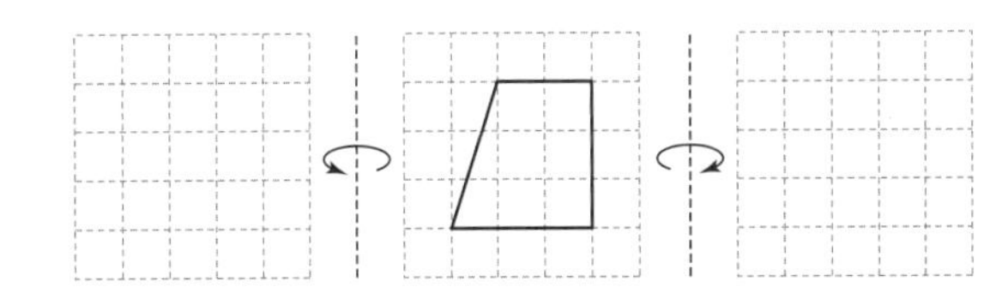

6

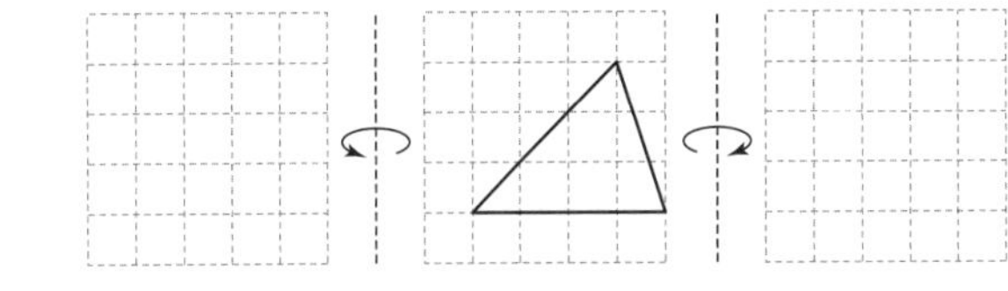

7

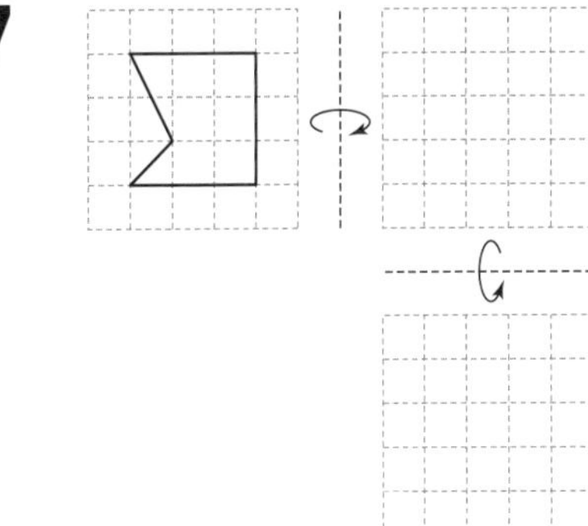

8

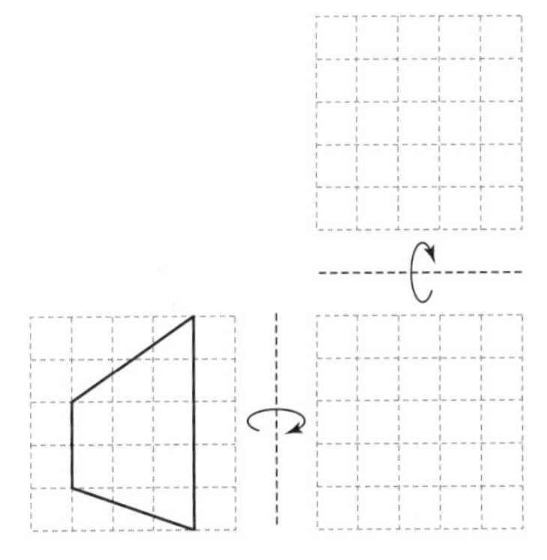

도형을 시계 방향으로 주어진 각도만큼 돌렸을 때의 모양을 그려 보세요.

1

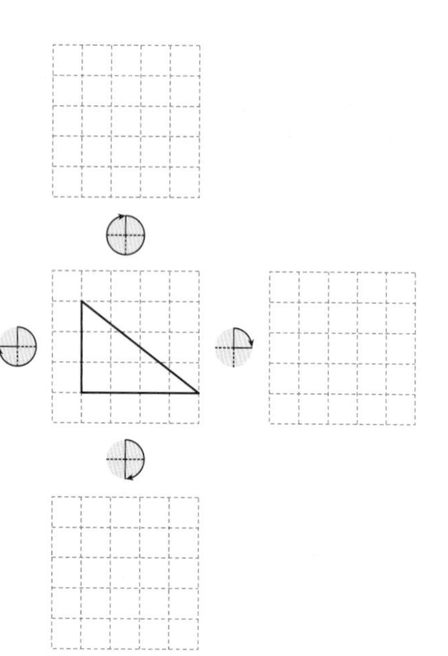

2

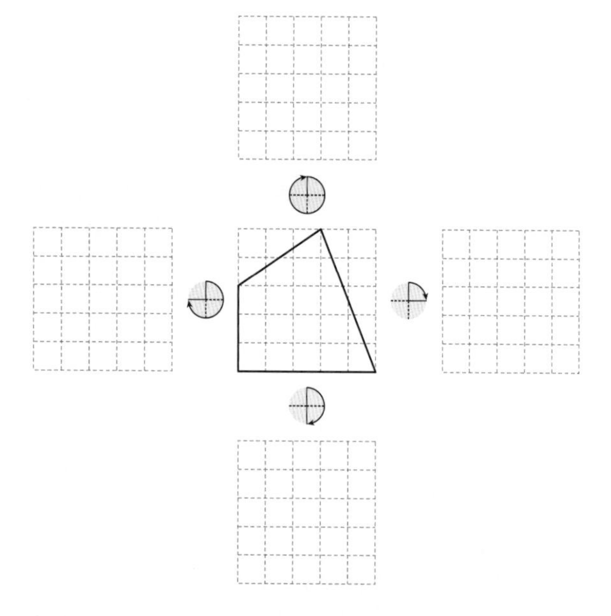

도형을 시계 반대 방향으로 주어진 각도만큼 돌렸을 때의 모양을 그려 보세요.

3

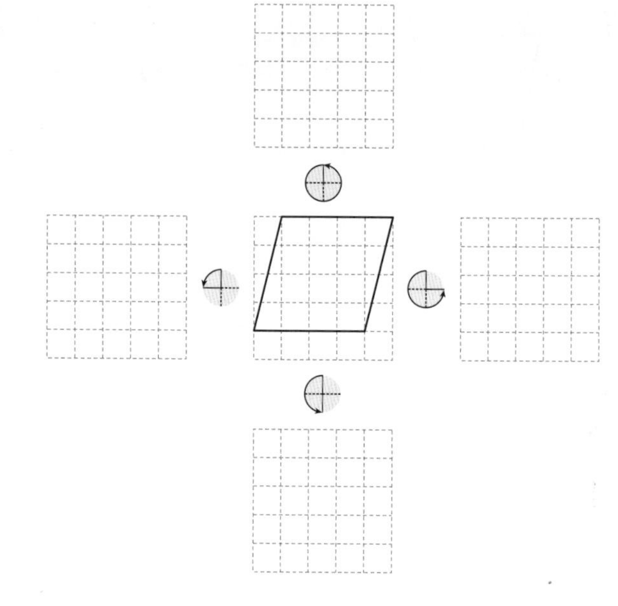

4

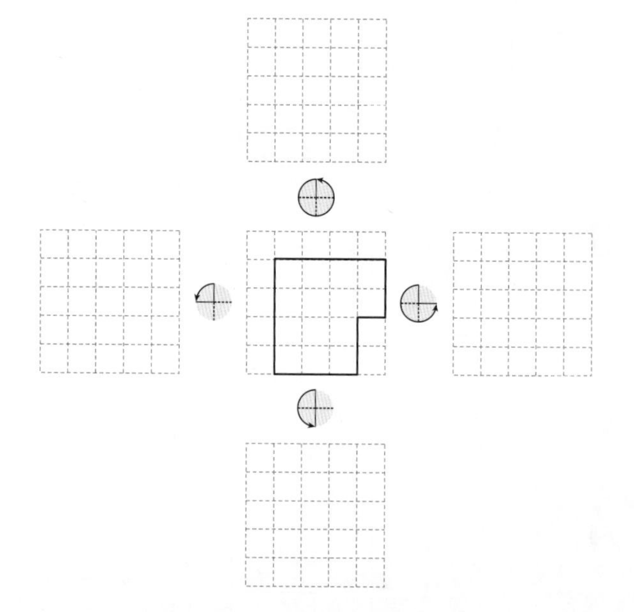

도형을 다음과 같이 주어진 방향으로 뒤집은 뒤 돌렸을 때의 모양을 그려 보세요.

1 오른쪽으로 뒤집고 시계 방향으로 90°만큼 돌리기

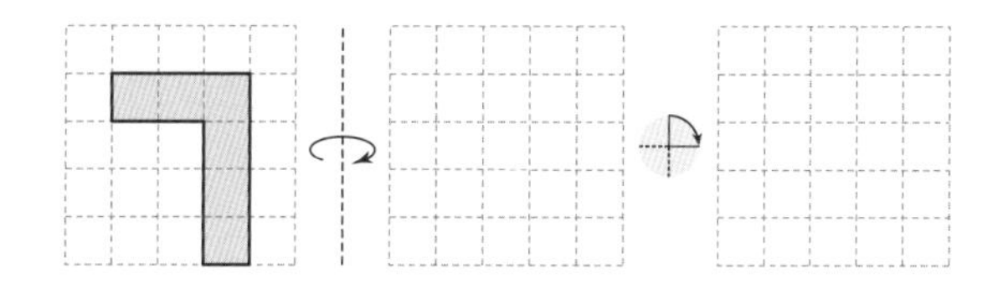

2 시계 방향으로 180°만큼 돌리고 오른쪽으로 뒤집기

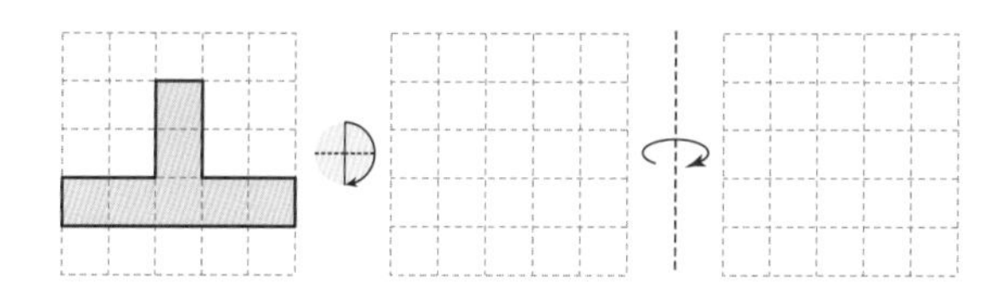

3 아래쪽으로 뒤집고 시계 방향으로 270°만큼 돌리기

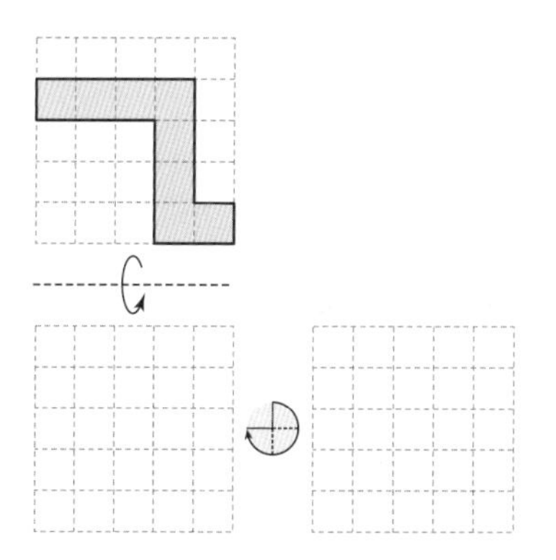

4 오른쪽으로 뒤집고 시계 반대 방향으로 90°만큼 돌리기

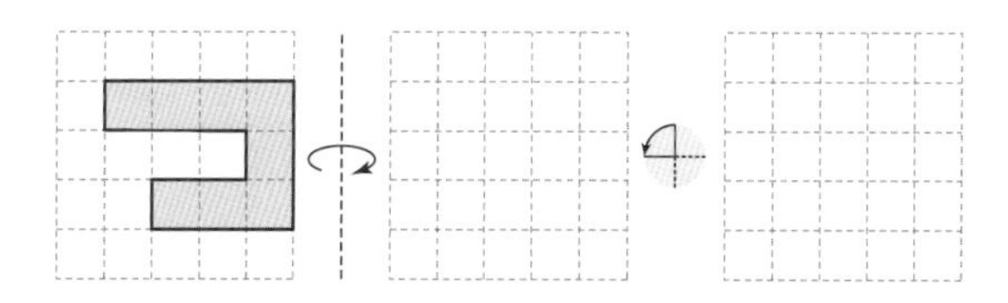

5 왼쪽으로 뒤집고 시계 반대 방향으로 180°만큼 돌리기

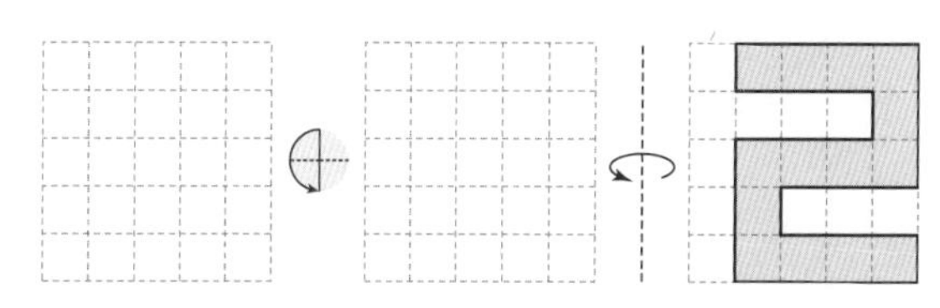

6 위쪽으로 뒤집고 시계 반대 방향으로 270°만큼 돌리기

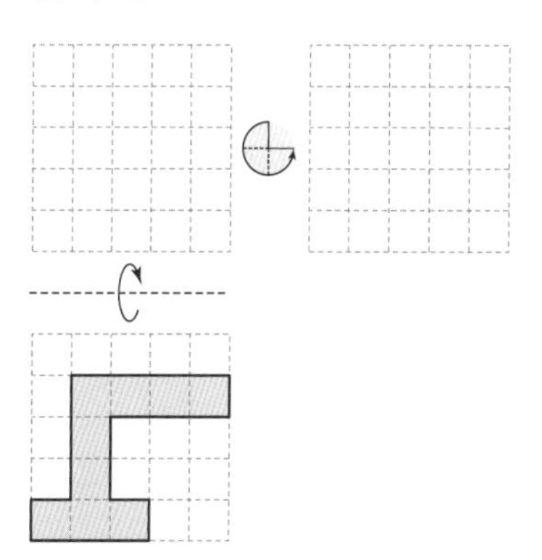

무늬를 꾸며 보기

주어진 모양으로 규칙적인 무늬를 만들어 보세요.

1 모양으로 밀기를 이용하여 무늬 만들기

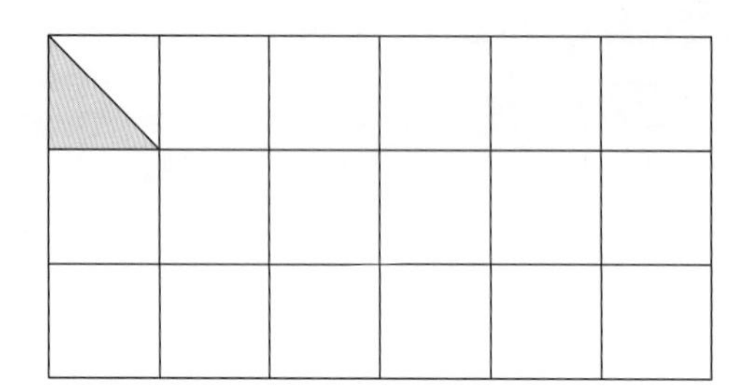

2 모양으로 밀기를 이용하여 무늬 만들기

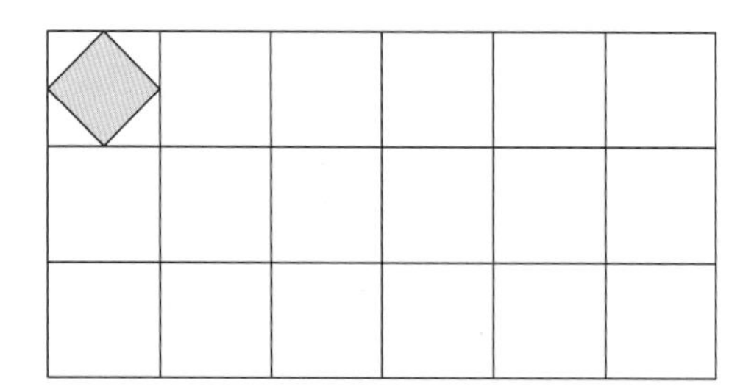

3 모양으로 뒤집기를 이용하여 무늬 만들기

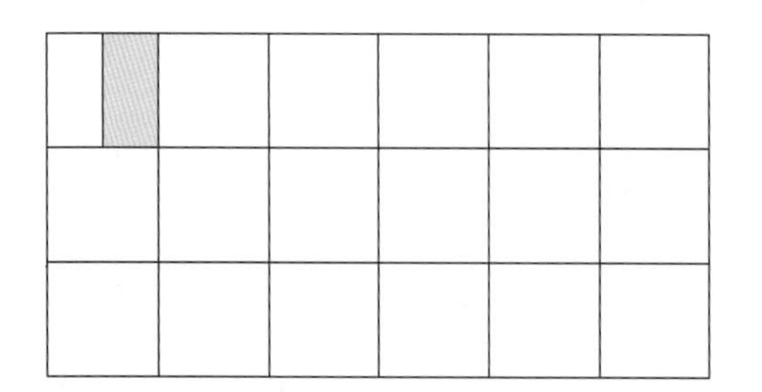

4 모양으로 뒤집기를 이용하여 무늬 만들기

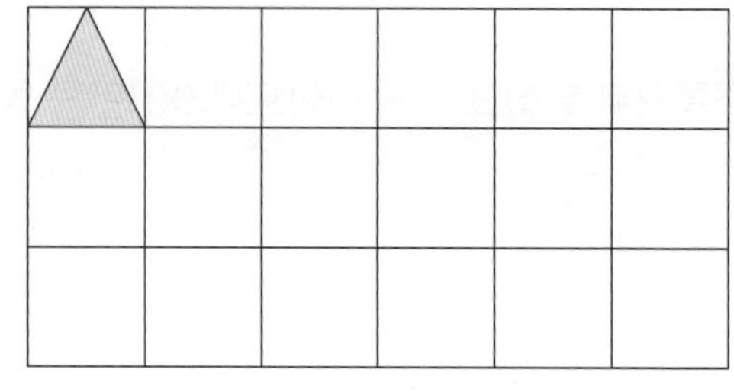

5 모양으로 돌리기를 이용하여 무늬 만들기

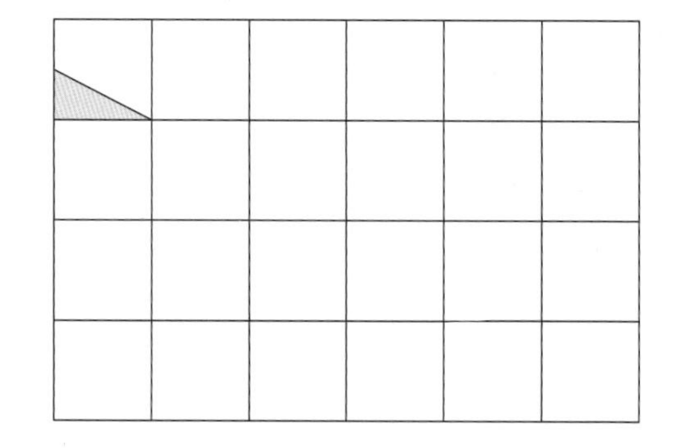

6 모양으로 돌리기를 이용하여 무늬 만들기

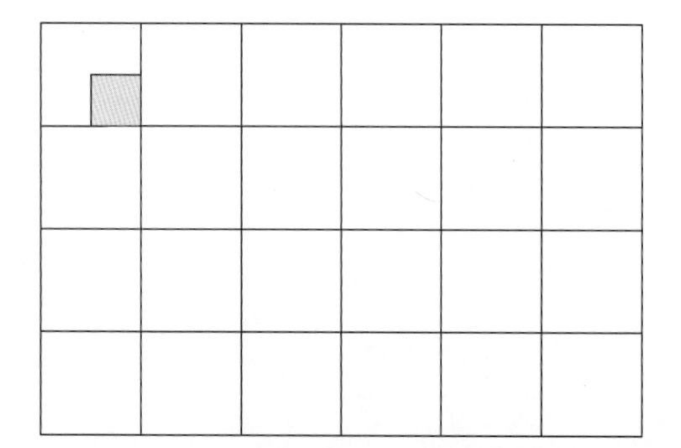

5 막대그래프

학습 내용	학습한 날짜	맞힌 문제 수
1. 막대그래프 알아보기	월 일	/ 7
2. 막대그래프의 내용 알아보기	월 일	/ 8
3. 막대그래프 그리기	월 일	/ 6
4. 자료를 조사하여 막대그래프 그리기	월 일	/ 6
5. 막대그래프로 이야기 만들어 보기	월 일	/ 7

막대그래프 알아보기

✹ 은지네 반 학생들이 좋아하는 계절을 조사하여 나타낸 막대그래프입니다. 물음에 답하세요.

좋아하는 계절

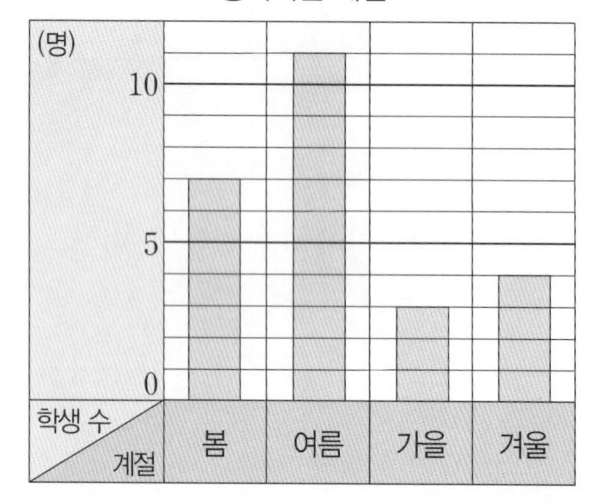

1 막대그래프에서 가로는 무엇을 나타내나요?

( )

2 막대그래프에서 세로는 무엇을 나타내나요?

( )

3 막대의 길이는 무엇을 나타내나요?

( )

4 세로 눈금 한 칸은 몇 명을 나타내나요?

( )

✹ 찬우네 반 학생들이 좋아하는 과목을 조사하여 나타낸 표와 막대그래프입니다. 물음에 답하세요.

좋아하는 과목

과목	국어	수학	사회	과학	영어	합계
학생 수 (명)	10	5	4	7	4	30

좋아하는 과목

(명) 10 5 0
학생 수 / 과목: 국어, 수학, 사회, 과학, 영어

5 막대그래프에서 가로와 세로는 각각 무엇을 나타내나요?

가로 ( )
세로 ( )

6 전체 학생 수를 알아보려면 어느 자료가 더 편리한가요?

( )

7 학생들이 가장 많이 좋아하는 과목을 알아보려면 어느 자료가 한눈에 더 잘 드러나나요?

( )

2 막대그래프의 내용 알아보기

준수네 반 학생들이 좋아하는 간식을 조사하여 나타낸 막대그래프입니다. 물음에 답하세요.

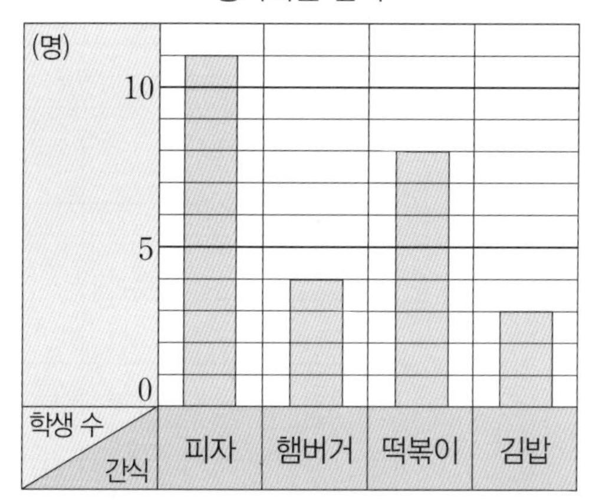

1 가장 많은 학생들이 좋아하는 간식은 무엇인가요?

( )

2 가장 적은 학생들이 좋아하는 간식은 무엇인가요?

( )

3 햄버거를 좋아하는 학생은 몇 명인가요?

( )

4 좋아하는 학생 수가 햄버거의 2배인 간식은 무엇인가요?

( )

예지네 반 학생들의 혈액형을 조사하여 나타낸 막대그래프입니다. 물음에 답하세요.

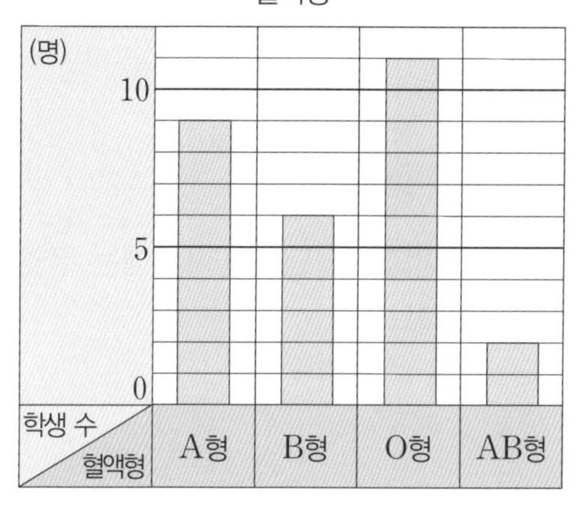

5 가장 많은 학생들의 혈액형은 무엇인가요?

( )

6 가장 적은 학생들의 혈액형은 무엇인가요?

( )

7 혈액형이 A형인 학생은 몇 명인가요?

( )

8 혈액형이 O형인 학생은 B형인 학생보다 몇 명 더 많은가요?

( )

3 막대그래프 그리기

어느 해 1월의 날씨별 날수를 막대그래프로 나타내려고 합니다. 물음에 답하세요.

1월의 날씨별 날수

날씨	맑음	흐림	눈	비	합계
날수(일)	15	7	6	3	31

1 가로에 날씨를 나타낸다면 세로에는 무엇을 나타내어야 하나요?

( )

2 세로 눈금 한 칸이 1일을 나타낸다면 비가 온 날수는 몇 칸으로 나타내어야 하나요?

( )

3 세로 눈금 한 칸이 1일을 나타낸다면 눈이 내린 날수는 몇 칸으로 나타내어야 하나요?

( )

4 세로 눈금 한 칸이 1일을 나타낸다면 맑은 날수는 몇 칸으로 나타내어야 하나요?

( )

5 표를 보고 막대그래프로 나타내어 보세요.

(일) 15, 10, 5, 0

날씨

6 가로에는 날수, 세로에는 날씨가 나타내도록 가로로 된 막대그래프로 나타내어 보세요.

날씨 / 날수 0, 5, 10, 15 ( )

수아네 반 학생들이 좋아하는 운동을 정리하여 막대그래프로 나타내려고 합니다. 물음에 답하세요.

이름	운동	이름	운동	이름	운동
수아	야구	민주	축구	진영	축구
지은	축구	은지	농구	아름	야구
효주	야구	유경	야구	민아	수영
선호	축구	서진	농구	예지	축구
규진	농구	명수	축구	준성	야구
수진	수영	재석	수영	윤호	수영
성규	야구	호영	야구	아영	축구
민호	수영	여진	배구	세인	축구

1 조사한 자료를 표로 정리해 보세요.

좋아하는 운동

운동	야구	축구	농구	배구	수영	합계
학생 수 (명)						24

2 그래프의 가로와 세로에는 각각 무엇을 나타낼까요?

가로 ( ), 세로 ( )

3 표를 보고 막대그래프로 나타내어 보세요.

(명)					
10					
5					
0					
학생 수 / 운동	야구	축구	농구	배구	수영

호준이네 반 학생들이 생일 선물로 받고 싶은 선물을 정리하여 막대그래프로 나타내려고 합니다. 물음에 답하세요.

문구용품	휴대 전화	장난감	동화책
★ ★ ★ ★	★ ★ ★ ★ ★ ★ ★ ★ ★ ★	★ ★ ★ ★ ★ ★ ★ ★	★ ★ ★ ★ ★

4 조사한 자료를 표로 정리해 보세요.

생일 선물로 받고 싶은 선물

선물	문구 용품	휴대 전화	장난감	책	합계
학생 수 (명)					

5 그래프의 가로에는 무엇을 나타낼까요?

( )

6 표를 보고 가로로 된 막대그래프로 나타내어 보세요.

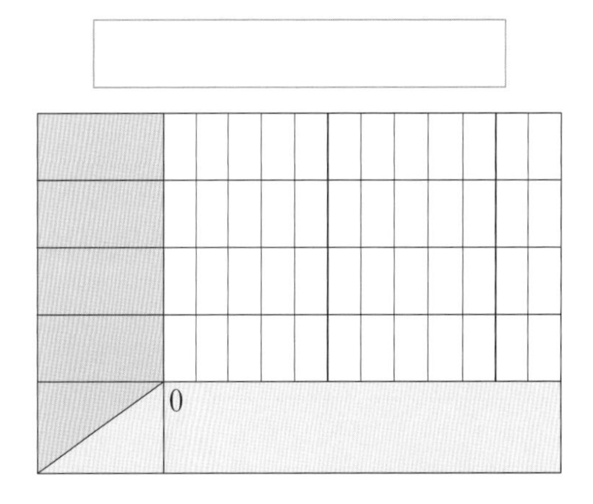

인하네 아파트의 일주일 동안의 음식물 쓰레기의 양을 조사하여 나타낸 막대그래프입니다. 물음에 답하세요.

일주일 동안의 음식물 쓰레기의 양

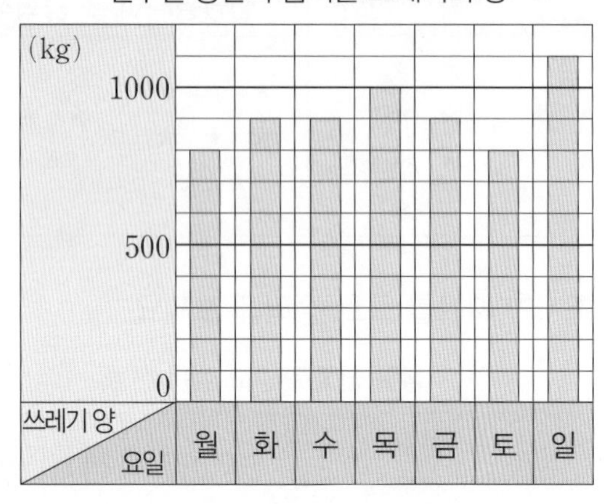

1 월요일의 음식물 쓰레기의 양은 몇 kg인가요?

( )

2 목요일의 음식물 쓰레기의 양은 몇 kg인가요?

( )

3 금요일과 토요일의 음식물 쓰레기의 양의 차는 얼마인가요?

( )

4 위 막대그래프를 보고 알 수 있는 사실을 한 가지 써 보세요.

서울의 자가용 승용차 등록 대수를 조사하여 나타낸 막대그래프입니다. 물음에 답하세요.

자가용 승용차 등록 대수

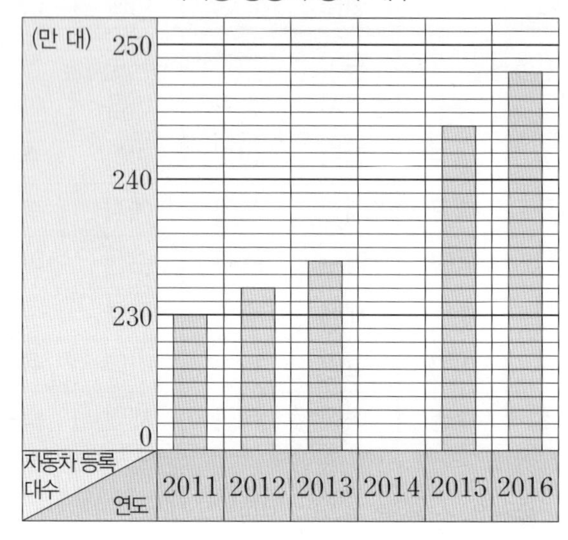

5 2014년도의 자가용 승용차 등록 대수가 239만 대입니다. 막대그래프를 완성해 보세요.

6 2015년도 서울의 자가용 승용차 등록 대수는 몇 대인가요?

( )

7 위 막대그래프를 보고 알 수 있는 사실을 2가지 써 보세요.

6 규칙 찾기

학습 내용	학습한 날짜	맞힌 문제 수
1. 수의 배열에서 규칙 찾아보기	월 일	/ 6
2. 수의 배열에서 규칙 알아보기	월 일	/ 6
3. 도형의 배열에서 규칙 찾아보기	월 일	/ 4
4. 계산식에서 규칙 찾아보기(1)	월 일	/ 6
5. 계산식에서 규칙 찾아보기(2)	월 일	/ 7
6. 규칙적인 계산식 찾아보기	월 일	/ 6

수 배열의 규칙에 맞게 빈칸에 들어갈 수를 써넣으세요.

1

609	619	629		649
509	519	529	539	549
409	419		439	449
309	319	329	339	
	219	229	239	249

2

125		165	185	205
225	245	265		305
325	345	365	385	405
	445		485	505
525	545	565	585	

3

1100	1200	1300	1400	1500
1101	1201	1301		1501
1102		1302	1402	1502
1103		1303	1403	1503
1104	1204		1404	

4

	9420	9430	9440	
8410		8430	8440	8450
7410	7420	7430		7450
6410	6420	6430	6440	
5410	5420	5430	5440	5450

수 배열표를 보고 물음에 답하세요.

5

2307	2407	2507	2607	2707
3307	3407	3507	3607	3707
4307	4407	4507	4607	4707
5307	5407	6507	5607	5707
6307	6407	7507	6607	6707

(1) ☐로 표시된 칸에 나타난 규칙입니다. ☐ 안에 알맞은 수를 써넣으세요.

규칙 5307에서 시작하여 오른쪽으로 ☐씩 커집니다.

(2) 색칠된 칸에 나타난 규칙을 써 보세요.

규칙 ______________________

____

6

4038	5038	6038	7038	8038
4048	5048	6048	7048	8048
4058	5058	6058	7058	8058
4068	5068	6068	7068	8068
4078	5078	6078	7078	8078

(1) ☐로 표시된 칸에 나타난 규칙입니다. ☐ 안에 알맞은 수를 써넣으세요.

규칙 6038에서 시작하여 아래쪽으로 ☐씩 커집니다.

(2) 색칠된 칸에 나타난 규칙을 써 보세요.

규칙 ______________________

____

2 수의 배열에서 규칙 알아보기

✺ 수 배열의 일부가 찢어졌습니다. 물음에 답하세요.

1

120	123	126	129	132
130	133	136	139	142
150	153	156	159	▲
180	18			

(1) 수 배열의 규칙에 맞게 ▲에 들어갈 수를 구해 보세요.

( )

(2) 색칠된 세로줄에 나타난 규칙을 써 보세요.

규칙 ______________________

____

2

31	33	35	37	39
131	133	135	137	139
331	333	335	3	
631	633	★		
1031	1033			

(1) 수 배열의 규칙에 맞게 ★에 들어갈 수를 구해 보세요.

( )

(2) 색칠된 세로줄에 나타난 규칙을 써 보세요.

규칙 ______________________

____

✺ 수 배열의 규칙에 맞게 빈칸에 들어갈 수를 써넣으세요.

3

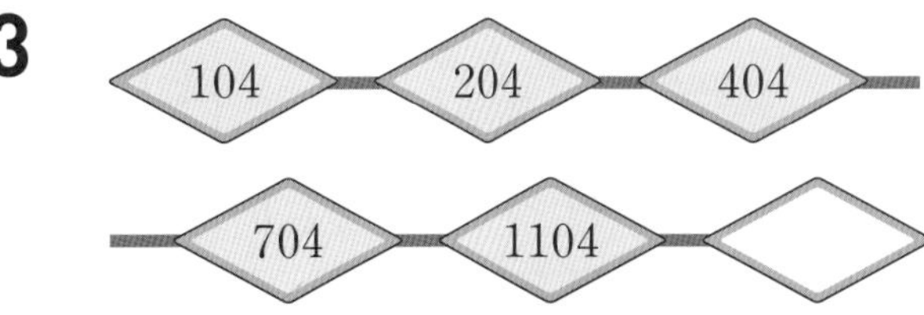

4

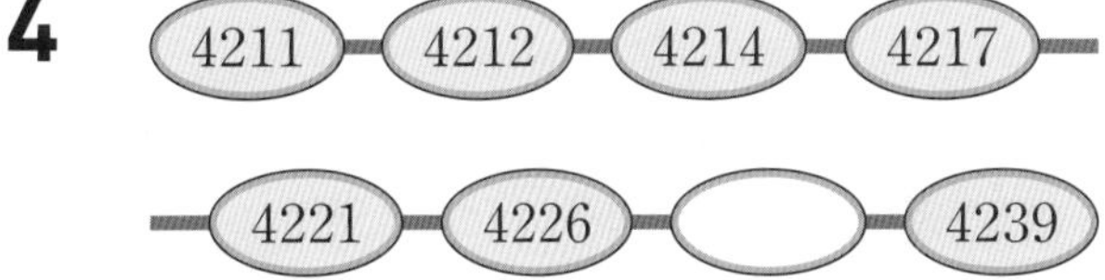

5

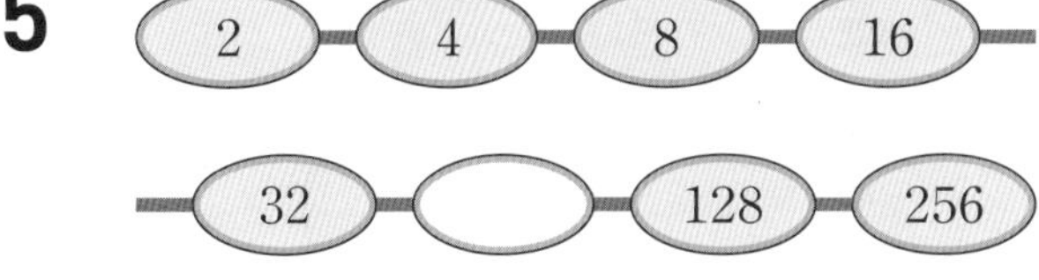

6

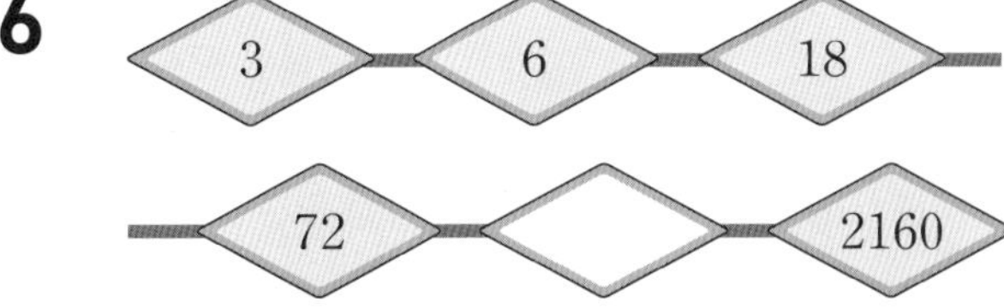

도형의 배열을 보고 물음에 답하세요.

1

첫째	둘째	셋째	넷째

(1) 다섯째에 올 도형을 그려 보세요.

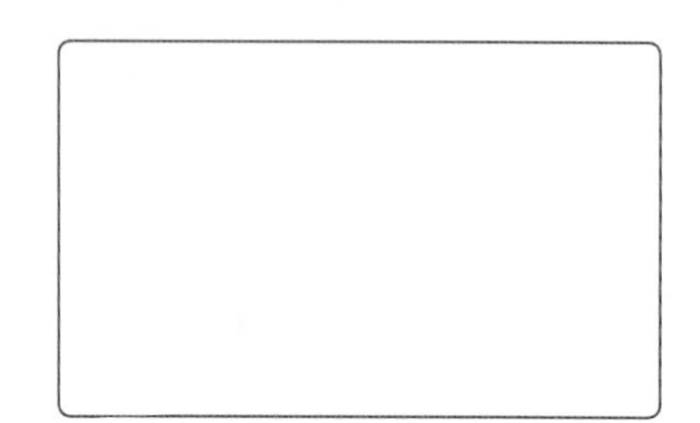

(2) 도형의 배열 규칙을 써 보세요.

규칙

2

첫째	둘째	셋째	넷째

(1) 다섯째에 올 도형을 그려 보세요.

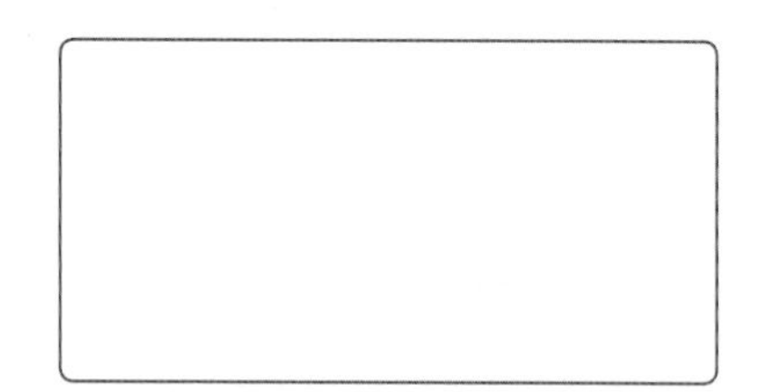

(2) 도형의 배열 규칙을 써 보세요.

규칙

3

첫째	둘째	셋째	넷째

(1) 다섯째에 올 도형을 그려 보세요.

(2) 도형의 배열 규칙을 써 보세요.

규칙

4

첫째	둘째	셋째	넷째

(1) 다섯째에 올 도형에 알맞게 색칠해 보세요.

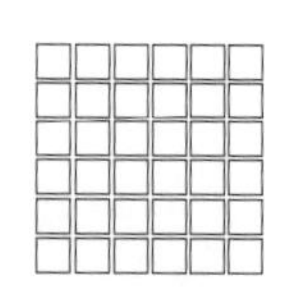

(2) 도형의 배열 규칙을 써 보세요.

규칙

4 계산식에서 규칙 찾아보기(1)

✹ 계산식 배열의 규칙에 맞게 빈칸에 들어갈 계산식을 써 보세요.

1

$303+404=707$
$313+414=727$
$323+424=747$
$333+434=767$

[ ]

2

$111+999=1110$
$222+888=1110$
$333+777=1110$
$444+666=1110$

[ ]

3

$990-120=870$
$890-220=670$
$790-320=470$
$690-420=270$

[ ]

4

$5000+6000=11000$
$5000+16000=21000$
$5000+26000=31000$

[ ]

$5000+46000=51000$

5

$2100+3100=5200$
$3100+3100=6200$
$4100+3100=7200$

[ ]

$6100+3100=9200$

6

$200+700-500=400$
$300+600-400=500$
$400+500-300=600$
$500+400-200=700$

[ ]

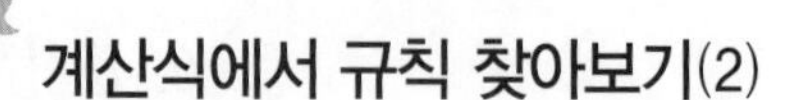

5 계산식에서 규칙 찾아보기(2)

계산식 배열의 규칙에 맞게 빈칸에 들어갈 계산식을 써넣으세요.

1

$100 \times 11 = 1100$

$200 \times 11 = 2200$

$300 \times 11 = 3300$

$500 \times 11 = 5500$

2

$880 \times 11 = 9680$

$440 \times 22 = 9680$

$220 \times 44 = 9680$

3

$1210 \div 11 = 110$

$2420 \div 22 = 110$

$3630 \div 33 = 110$

4

$1100 \div 55 = 20$

$2200 \div 55 = 40$

$3300 \div 55 = 60$

5

$5 \times 102 = 510$

$5 \times 1002 = 5010$

$5 \times 10002 = 50010$

$5 \times 100002 = 500010$

6

$1616 \div 4 = 404$

$160016 \div 4 = 40004$

$1600016 \div 4 = 400004$

$16000016 \div 4 = 4000004$

7

$363 \div 33 = 11$

$3663 \div 33 = 111$

$36663 \div 33 = 1111$

$366663 \div 33 = 11111$

$3666663 \div 33 = 111111$

수 배열표를 보고 물음에 답하세요.

200	203	206	209	212	215	218
201	204	207	210	213	216	219
202	205	208	211	214	217	220

1 빈칸에 알맞은 식을 써넣으세요.

$200+204=201+203$

$203+207=204+206$

$206+210=207+209$

☐

2 빈칸에 알맞은 수를 써넣으세요.

$200+203+206=203\times$ ☐

$203+206+209=206\times$ ☐

$206+209+212=209\times$ ☐

$209+212+215=212\times$ ☐

3 빈칸에 알맞은 수를 써넣으세요.

$200+203+206=202+205+208-$ ☐

$203+206+209=205+208+211-$ ☐

$206+209+212=208+211+214-$ ☐

$209+212+215=211+214+217-$ ☐

보기 의 규칙을 이용하여 계산식을 구하려고 합니다. 물음에 답하세요.

보기

$3\div3=1$

$9\div3\div3=1$

$27\div3\div3\div3=1$

$81\div3\div3\div3\div3=1$

4 나누는 수가 2일 때의 계산식을 2개 더 써 보세요.

$2\div2=1$

$4\div2\div2=1$

5 나누는 수가 4일 때의 계산식을 2개 더 써 보세요.

$4\div4=1$

$16\div4\div4=1$

6 나누는 수가 5일 때의 계산식을 2개 더 써 보세요.

$5\div5=1$

$25\div5\div5=1$

정답

1 큰 수

1 1000이 10개인 수 알아보기 4쪽

1 10 **2** 1000 **3** 2000 **4** 100
5 10 **6** 1 **7** 3000 **8** 4000
9 20 **10** 2 **11** 9995, 9997, 10000
12 9700, 9800, 10000 **13** 9950, 9970, 9980
14 9850, 9950, 10000

2 다섯 자리 수 알아보기(1) 5쪽

1 3, 5 **2** 6, 1, 3 **3** 7, 5, 4
4 9, 7, 2, 3, 1 **5** 만 팔천오백삼십육
6 이만 육천팔백삼십사 **7** 삼만 칠천백팔십오
8 육만 사천이백팔십일 **9** 팔만 삼천백구십칠
10 13278 **11** 32894 **12** 53267
13 69318 **14** 93057

3 다섯 자리 수 알아보기(2) 6쪽

1 20000, 400 **2** 3000, 80
3 1000, 20 **4** 70000, 4000, 80
5 10000, 7000, 500, 20, 9
6 30000, 5000, 800, 60, 2
7 40000, 7000, 600, 80, 9
8 80000, 5000, 100, 30, 4
9 90000, 1000, 200, 60, 4

4 십만, 백만, 천만 알아보기(1) 7쪽

1 100000, 십만 **2** 1000000, 백만
3 10000000, 천만 **4** 13250000, 천삼백이십오만
5 24670000, 2467만, 이천사백육십칠만
6 삼천사백이십팔만 **7** 칠천백이십사만
8 백팔십만 **9** 육백칠십삼만 **10** 사십팔만
11 52760000 **12** 83690000 **13** 1300000
14 2070000 **15** 60080000

5 십만, 백만, 천만 알아보기(2) 8쪽

1 3, 7 / 40000000, 200000
2 8, 3 / 60000000, 900000
3 7, 6, 1 / 70000000, 6000000, 300000
4 2000000 **5** 20000000 **6** 80000
7 8000000 **8** 30000 **9** 300000
10 90000 **11** 90000000

6 억과 조 알아보기(1) 9쪽

1 100000000, 억 **2** 1000000
3 10000000 **4** 1000000000000, 조
5 10000000000 **6** 100000000000
7 5, 1, 2, 9 / 오천백이십구억
8 6, 5, 3, 8 / 육천오백삼십팔억
9 2, 8, 4, 6, 9, 4, 2, 3 /
이천팔백사십육조 구천사백이십삼억
10 7, 6, 4, 2, 3, 4, 1, 5 /
칠천육백사십이조 삼천사백십오억

7 억과 조 알아보기(2) 10쪽

1 23억 6480만 2357 **2** 67억 8190만 3425
3 467억 2839만 2514 **4** 8352억 7193만 6098
5 7923억 4024만 1254 **6** 7384억 728만 9356
7 3954억 3013만 2750
8 14조 6924억 8023만 5257
9 56조 3457억 2039만 2319
10 235조 2842억 4162만 6412
11 462조 8376억 7990만 425
12 781조 2234억 2053만 2183
13 6352조 7384억 3168만 1238
14 8794조 2253억 7813만 2738

8 뛰어 세기 11쪽

1 470000, 570000, 770000
2 52000000, 58000000, 60000000
3 150억 3217만, 210억 3217만, 240억 3217만
4 1524억 83만, 3524억 83만, 4024억 83만

5 5450000, 7450000
6 사천만, 오천만, 팔천만
7 12680000, 13280000
8 82억 77만, 82억 107만, 82억 167만

9 수의 크기 비교 12쪽

1 < **2** < **3** > **4** <
5 > **6** < **7** > **8** <
9 > **10** > **11** ㉡, ㉢, ㉠
12 ㉢, ㉠, ㉡ **13** ㉠, ㉢, ㉡
14 ㉠, ㉢, ㉡ **15** ㉢, ㉡, ㉠

2 각도

1 각의 크기 비교 14쪽

1 ( ) (○) **2** ( ) (○)
3 (○) ( ) **4** ( ) (○)
5 나, 다, 가 **6** 가, 나, 다
7 다, 가, 나 **8** 나, 가, 다

2 각의 크기 알아보기 15쪽

1 40 **2** 120 **3** 70 **4** 160 **5** 30
6 100 **7** 60 **8** 90 **9** 150

3 각 그리기 16쪽

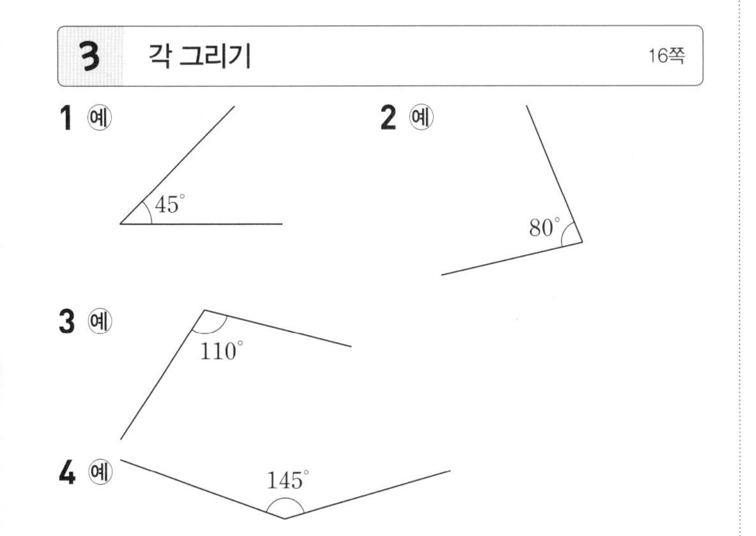

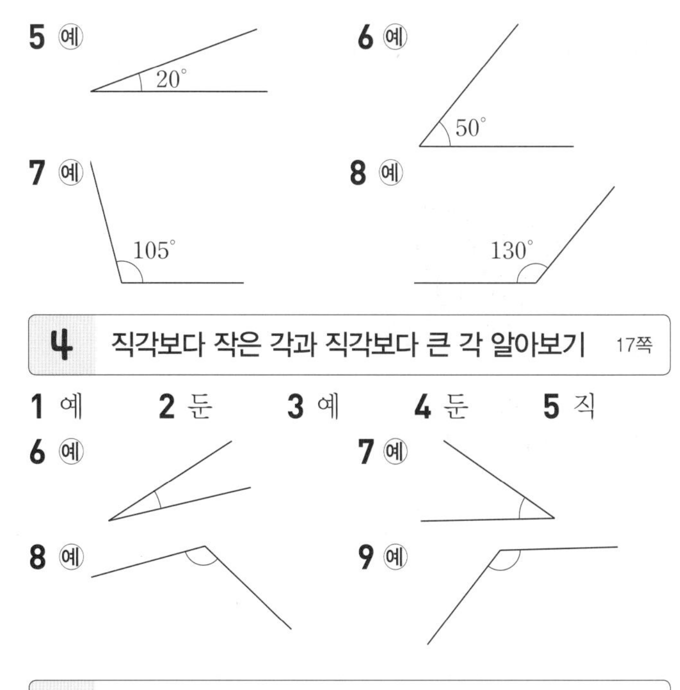

4 직각보다 작은 각과 직각보다 큰 각 알아보기 17쪽

1 예 **2** 둔 **3** 예 **4** 둔 **5** 직
6 예 **7** 예
8 예 **9** 예

5 각도 어림하기 18쪽

1 예 70°, 70° **2** 예 30°, 30°
3 예 100°, 100° **4** 예 90°, 90°
5 예 60°, 60° **6** 예 90°, 90°
7 예 135°, 135° **8** 예 120°, 120°

6 각도의 합과 차(1) 19쪽

1 20, 60, 80 **2** 50, 80, 130
3 120, 60, 60 **4** 150, 70, 80
5 71 **6** 143 **7** 139 **8** 153
9 177 **10** 178 **11** 165 **12** 137
13 165 **14** 205

7 각도의 합과 차(2) 20쪽

1 22 **2** 52 **3** 34 **4** 65
5 61 **6** 29 **7** 47 **8** 25
9 65 **10** 38 **11** 95, 55 **12** 195, 35
13 155, 35 **14** 185, 85

8 삼각형의 세 각의 크기의 합 21쪽

1 60 **2** 30 **3** 25 **4** 30
5 85 **6** 120° **7** 100° **8** 90°
9 45° **10** 105°

9 사각형의 네 각의 크기의 합 22쪽

1 75 **2** 85 **3** 55 **4** 70
5 75 **6** 195° **7** 185° **8** 155°
9 210° **10** 180°

3 곱셈과 나눗셈

1 (세 자리 수)×(몇십)(1) 24쪽

1 (각 자리에 맞게) 7, 5, 0, 750 / 7, 5, 0, 0, 7500
2 (각 자리에 맞게) 9, 8, 0, 980 / 9, 8, 0, 0, 9800
3 (각 자리에 맞게) 7, 5, 6, 756 / 7, 5, 6, 0, 7560
4 (각 자리에 맞게) 8, 2, 6, 826 / 8, 2, 6, 0, 8260
5 256 / 10 / 2560 **6** 717 / 10 / 7170
7 1620 / 10 / 16200 **8** 2868 / 10 / 28680
9 2892 / 10 / 28920 **10** 2451 / 10 / 24510

2 (세 자리 수)×(몇십)(2) 25쪽

1 1190 / 10 / 11900 **2** 1568 / 10 / 15680
3 3598 / 10 / 35980 **4** 4518 / 10 / 45180
5 5580 **6** 16680 **7** 22750 **8** 22150
9 50960 **10** 32600

3 (세 자리 수)×(두 자리 수)(1) 26쪽

1 5280, 704, 5984 **2** 13600, 1632, 15232
3 15920, 1990, 17910 **4** 23550, 942, 24492
5 10460, 3661, 14121 **6** 1104, 5520, 6624
7 474, 9480, 9954 **8** 957, 19140, 20097
9 5823, 12940, 18763

4 (세 자리 수)×(두 자리 수)(2) 27쪽

1 9842 **2** 14476 **3** 31390 **4** 10393
5 34440 **6** 21344 **7** 8732 **8** 15939
9 22008 **10** 16870 **11** 21525 **12** 29136
13 20427 **14** 28601 **15** 14976 **16** 23100

5 곱셈을 이용하여 실생활 문제 해결하기 28쪽

1 650, 15, 9750, 9750
2 940×24=22560, 22560원
3 180×21=3780, 3780 mL
4 115×12=1380, 1380개
5 245×28=6860, 6860개
6 125×31=3875, 3875개
7 365×25=9125, 9125분

6 몇십으로 나누기(1) 29쪽

1 80, 100, 120 / 6 **2** 120, 150, 180 / 5
3 120, 160, 200, 240 / 4 **4** 150, 200, 250, 300 / 5
5 60, 120, 180, 240, 300, 360 / 6
6 7 **7** 6 **8** 3 **9** 7 **10** 8
11 5 **12** 7 **13** 7 **14** 9 **15** 7

7 몇십으로 나누기(2) 30쪽

1 2 **2** 9 **3** 3 **4** 9 **5** 8
6 5 **7** 8 **8** 9 **9** 7, 10 **10** 6, 20
11 5, 30 **12** 4, 10 **13** 9, 10 **14** 8, 20

8 몇십몇으로 나누기(1) 31쪽

1 6에 ○표 **2** 5에 ○표 **3** 3에 ○표
4 3에 ○표 **5** 6에 ○표 **6** 7에 ○표
7 9에 ○표 **8** 8에 ○표
9 (위에서부터) 4, 68, 0
10 (위에서부터) 4, 96, 2
11 (위에서부터) 8, 184, 13
12 (위에서부터) 6, 432, 19

9 몇십몇으로 나누기(2) 32쪽

1 4 **2** 3…6 **3** 6…19
4 8…17 **5** 9…7 **6** 8…26
7 6, 12 / 22×6=132, 132+12=144
8 8, 27 / 45×8=360, 360+27=387
9 7, 21 / 84×7=588, 588+21=609

10 몇십몇으로 나누기(3) 33쪽

1 280, 420 / 20, 30

2 320, 480, 640 / 30, 40

3 220, 440, 660, 880 / 30, 40

4 480, 720, 960 / 30, 40

5 △	6 ○	7 ○	8 △
9 ○	10 ○	11 △	12 △

11 몇십몇으로 나누기(4) 34쪽

1 17	2 23	3 19	4 26
5 55	6 22	7 27	8 13
9 31	10 19	11 51	12 43

12 몇십몇으로 나누기(5) 35쪽

1 (위에서부터) 24, 24, 51, 48, 3

2 (위에서부터) 21, 30, 16, 15, 1

3 (위에서부터) 14, 29, 118, 116, 2

4 (위에서부터) 26, 36, 119, 108, 11

5 (위에서부터) 13, 39, 154, 117, 37

6 (위에서부터) 13, 64, 222, 192, 30

13 몇십몇으로 나누기(6) 36쪽

1 29, 6	2 21, 13	3 14, 4	4 12, 31
5 24, 15	6 16, 35	7 11, 43	8 13, 52

4 평면도형의 이동

1 평면도형을 밀어 보기 38쪽

1 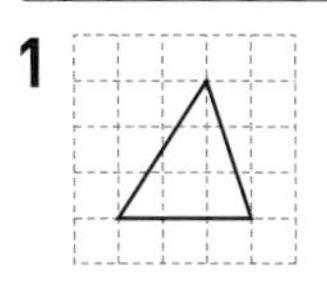

2  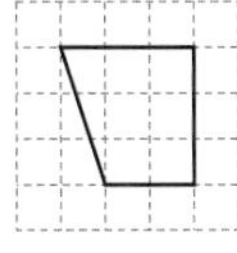

3  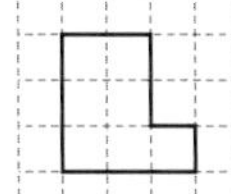

4 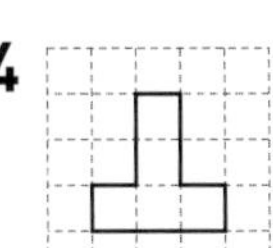

5 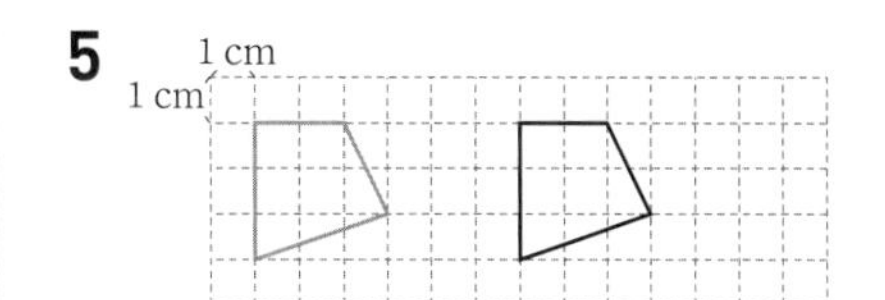

6 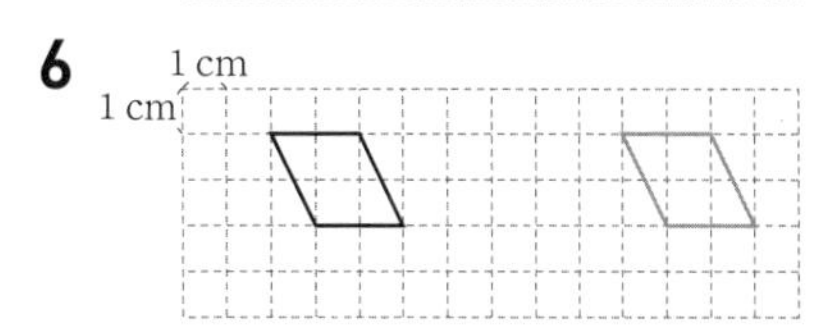

7 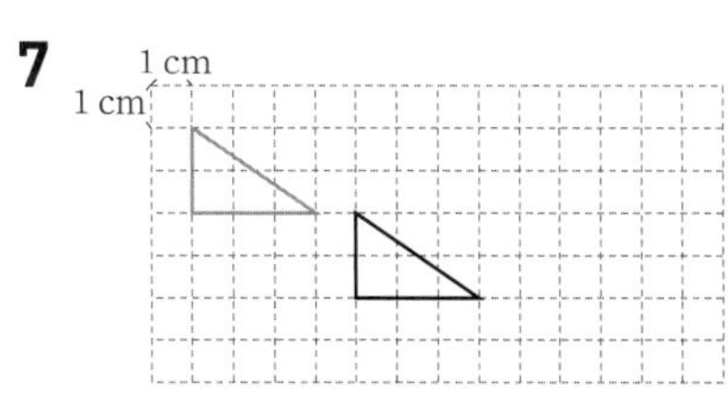

8 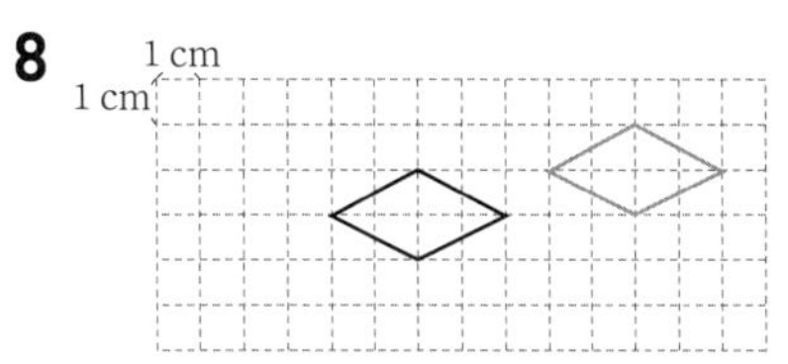

2 평면도형을 뒤집어 보기 39쪽

1 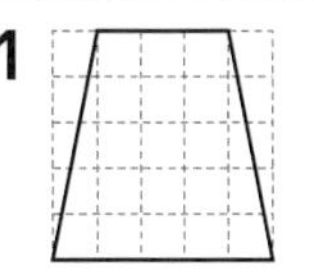

2 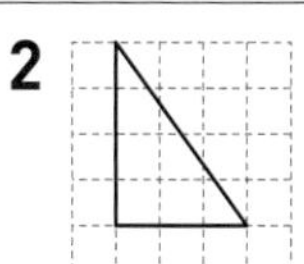

3 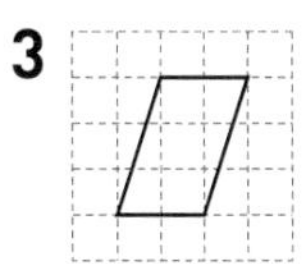

4 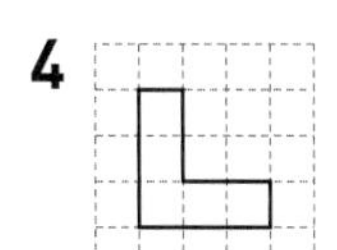

5 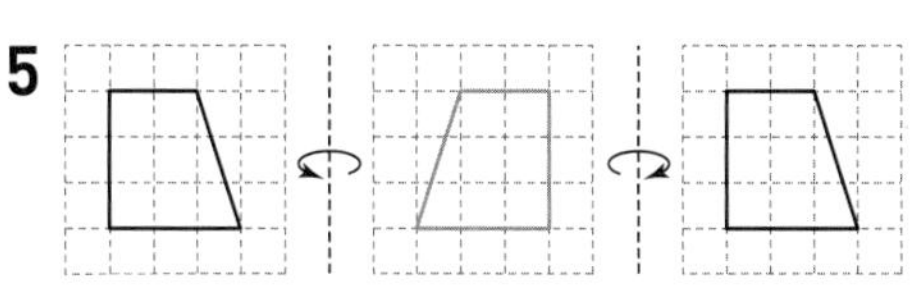

6 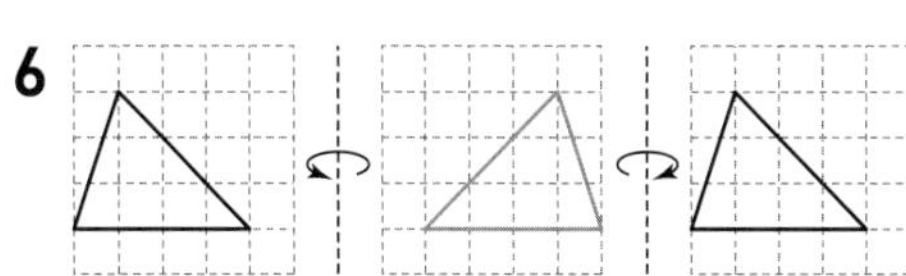

7 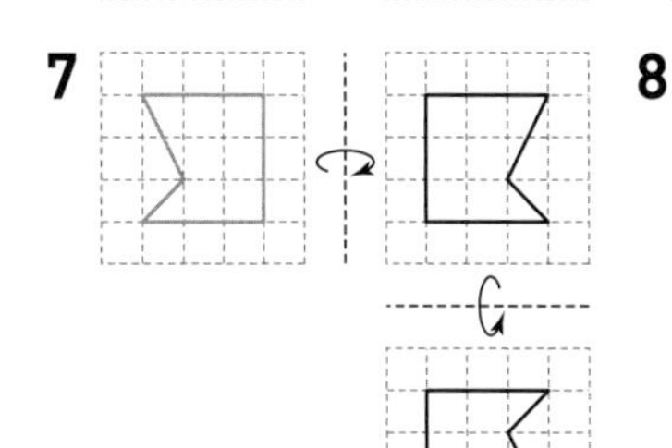

8 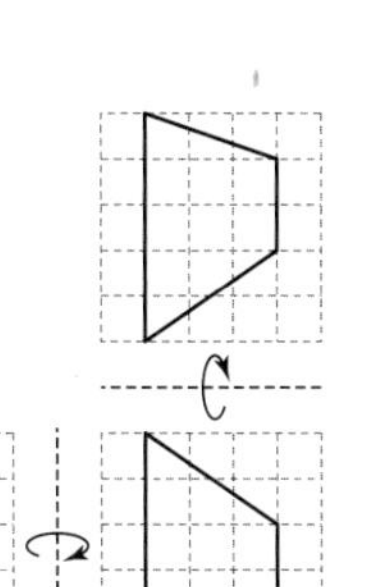

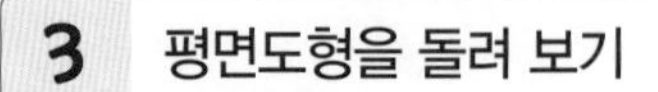

3 평면도형을 돌려 보기 40쪽

1

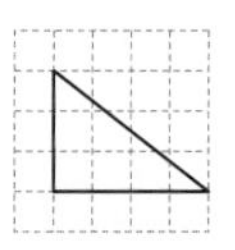

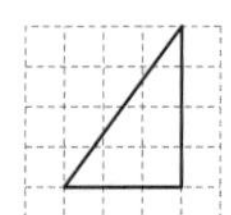

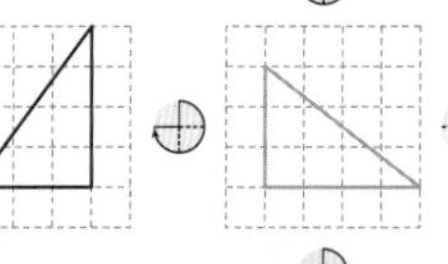

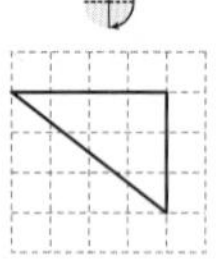

2

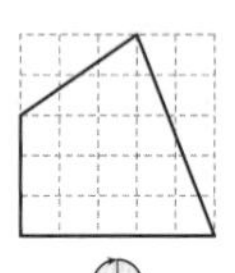

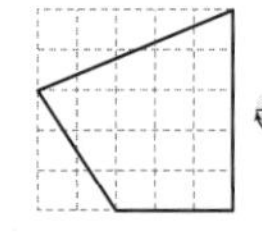

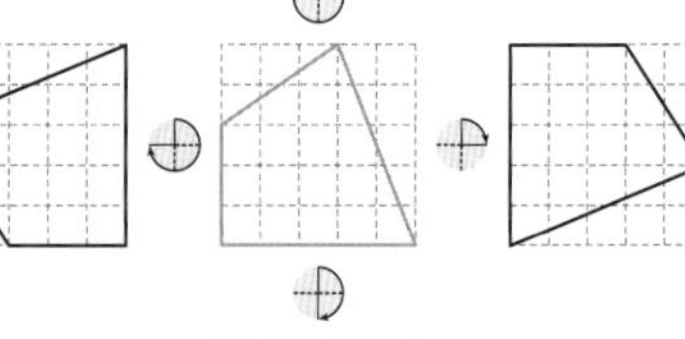

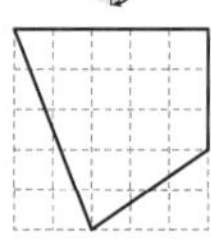

3

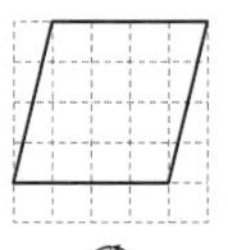

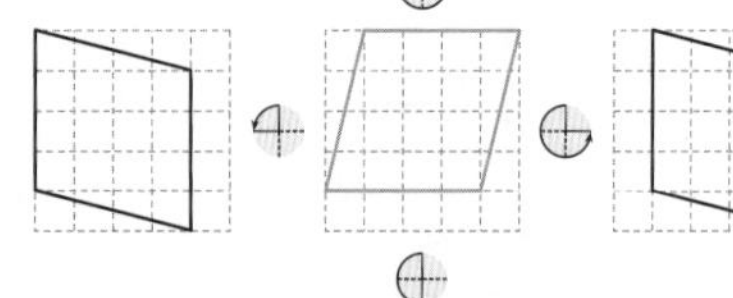

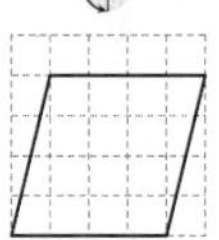

4

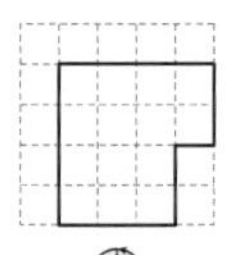

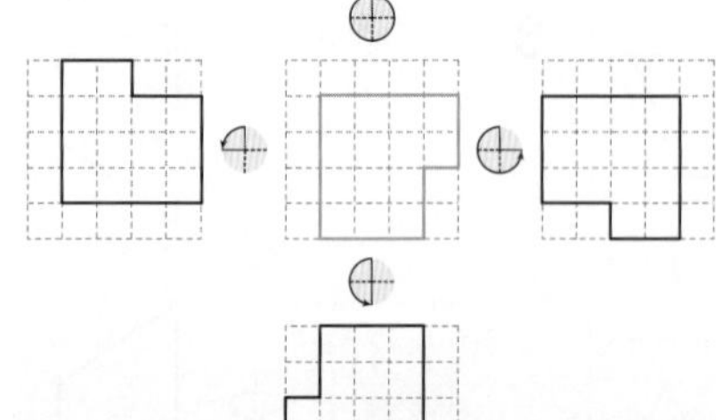

4 평면도형을 뒤집고 돌려 보기 41쪽

1

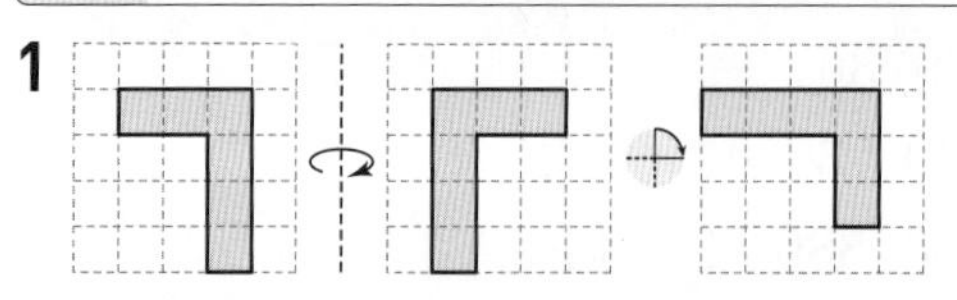

2

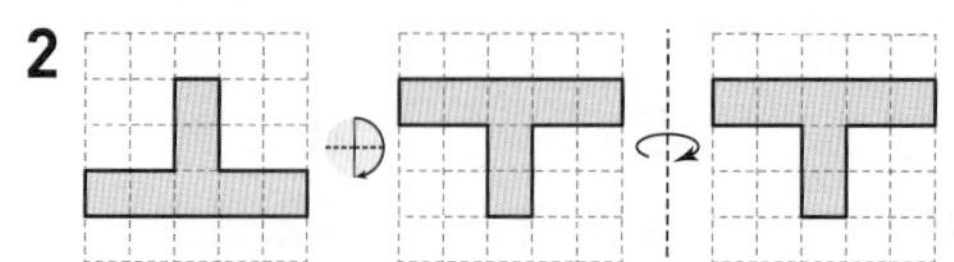

3

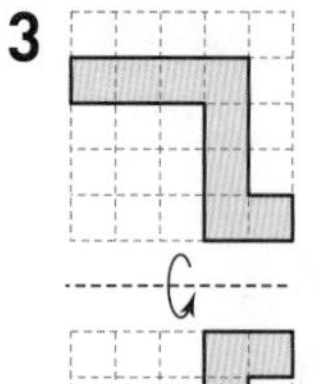

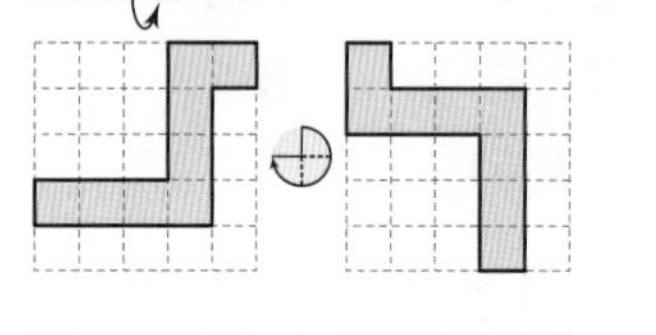

4

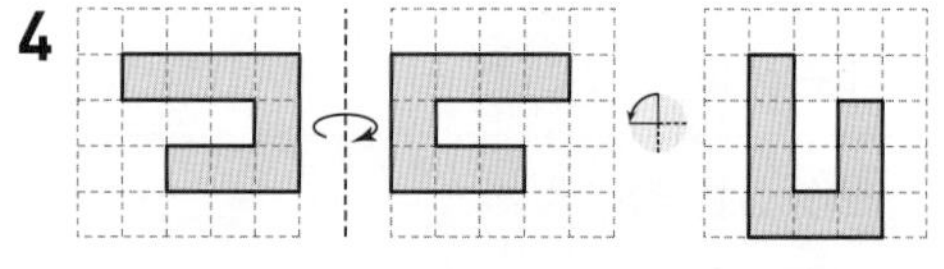

5

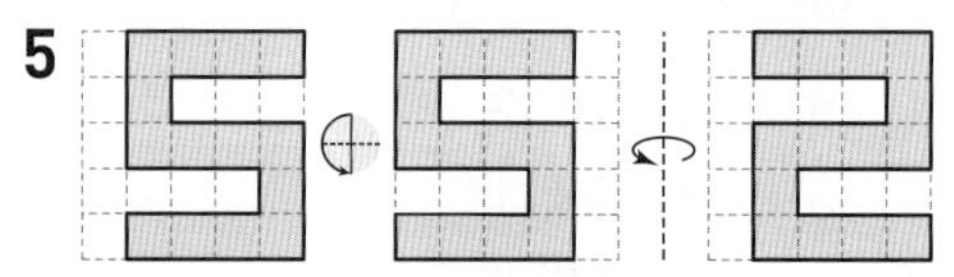

6

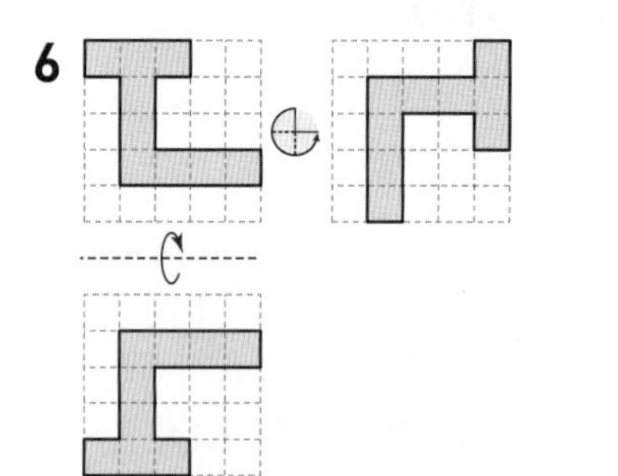

5 무늬를 꾸며 보기 42쪽

1

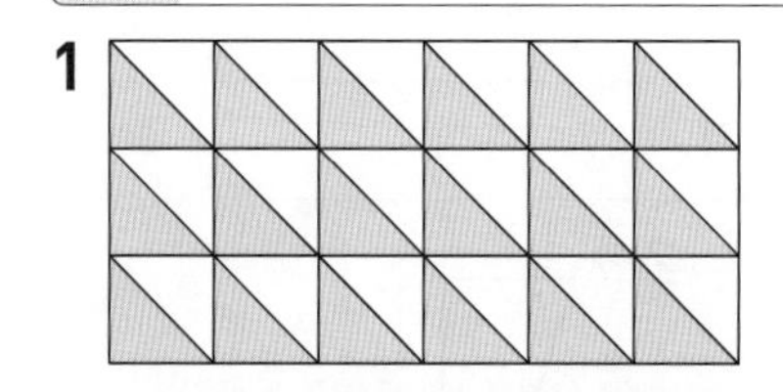

2

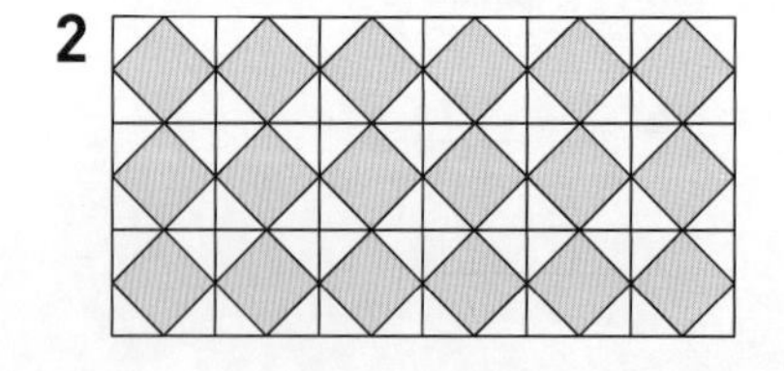

3 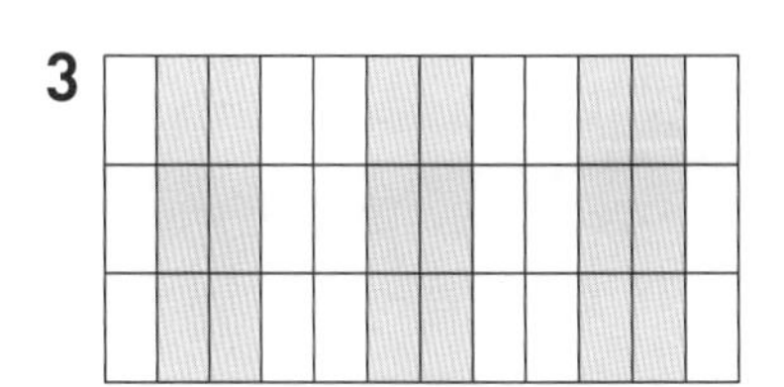

4 예

5 예

6 예

5 막대그래프

1 막대그래프 알아보기 44쪽

1 계절 2 학생 수 3 학생 수 4 1명
5 과목, 학생 수 6 표
7 막대그래프

2 막대그래프의 내용 알아보기 45쪽

1 피자 2 김밥 3 4명 4 떡볶이
5 O형 6 AB형 7 9명 8 5명

3 막대그래프 그리기 46쪽

1 날수 2 3칸 3 6칸 4 15칸

5 예 1월의 날씨별 날수

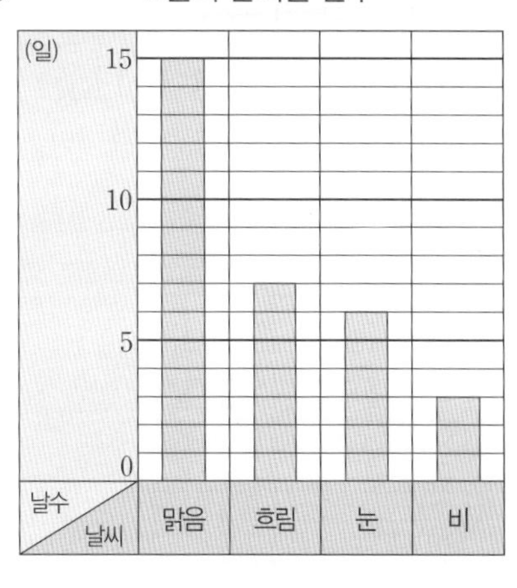

6 예 1월의 날씨별 날수

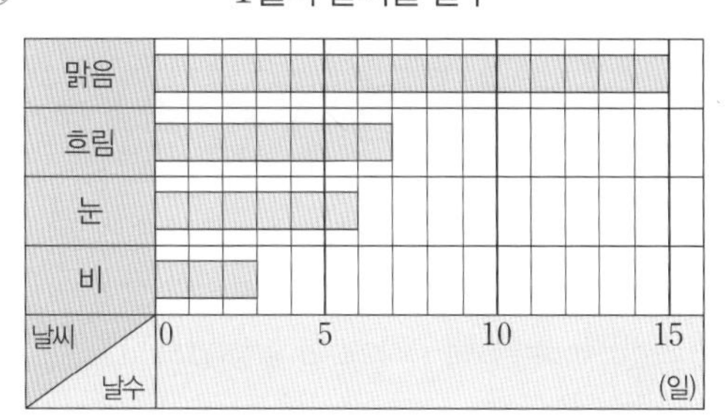

4 자료를 조사하여 막대그래프 그리기 47쪽

1 7, 8, 3, 1, 5
2 예 가로: 운동, 세로: 학생 수
3 예 좋아하는 운동

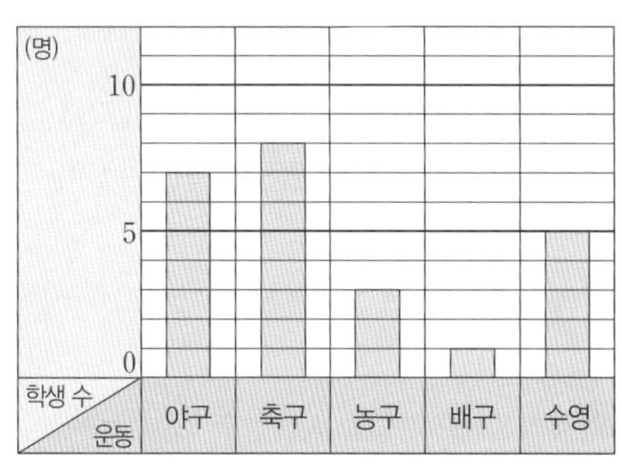

4 4, 10, 8, 5, 27
5 예 학생 수
6 예 생일 선물로 받고 싶은 선물

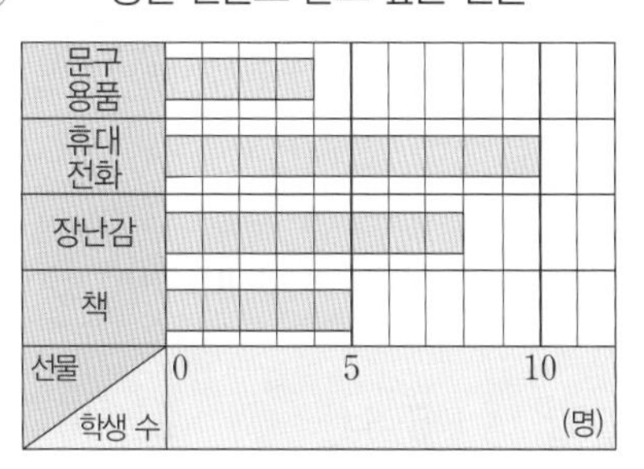

5 막대그래프로 이야기 만들어 보기 48쪽

1 800 kg **2** 1000 kg **3** 100 kg

4 예 일요일의 음식물 쓰레기의 양이 가장 많습니다.

5 예 자가용 승용차 등록 대수

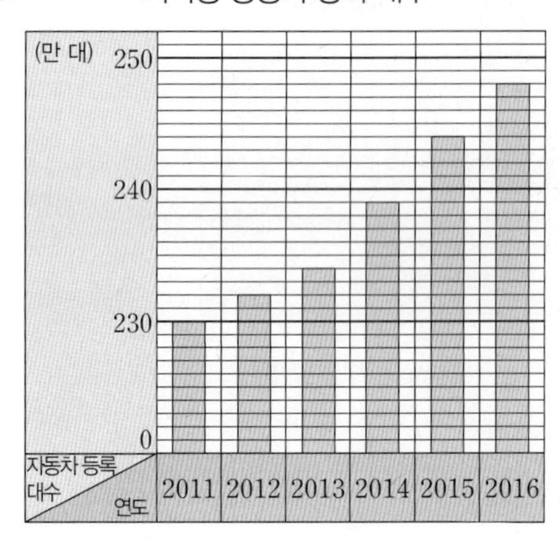

6 244만 대

7 예 • 2011년도의 자가용 승용차 등록 대수가 가장 적습니다.
• 자가용 승용차 등록 대수가 점점 늘어납니다.

6 규칙 찾기

1 수의 배열에서 규칙 찾아보기 50쪽

1 (위에서부터) 639, 429, 349, 209

2 (위에서부터) 145, 285, 425, 465, 605

3 (위에서부터) 1401, 1202, 1203, 1304, 1504

4 (위에서부터) 9410, 9450, 8420, 7440, 6450

5 (1) 100
(2) 예 2307에서 시작하여 ↘ 방향으로 1100씩 커집니다.

6 (1) 10
(2) 예 8038에서 시작하여 ↙ 방향으로 990씩 작아집니다.

2 수의 배열에서 규칙 알아보기 51쪽

1 (1) 162
(2) 예 126에서 시작하여 아래쪽으로 10, 20, 30……씩 커집니다.

2 (1) 635
(2) 예 35에서 시작하여 아래쪽으로 100, 200, 300……씩 커집니다.

3 1604 **4** 4232 **5** 64 **6** 360

3 도형의 배열에서 규칙 찾아보기 52쪽

1 (1) 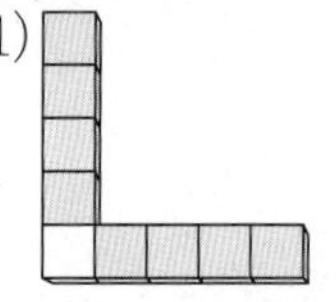
(2) 예 흰색 사각형의 오른쪽과 위쪽으로 검은색 사각형이 각각 1개씩 늘어납니다.

2 (1) 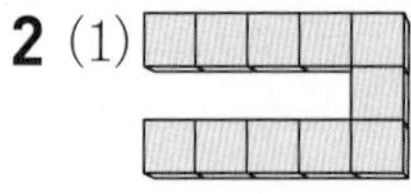
(2) 예 사각형의 개수가 3개에서 시작하여 2개씩 점점 늘어납니다.

3 (1)
(2) 예 ○ 표시된 사각형을 중심으로 시계 반대 방향으로 돌리기 하며 도형의 개수가 1개씩 늘어납니다.

4 (1)
(2) 예 사각형 4개에서 시작하여 오른쪽, 아래쪽, ↘ 방향으로 1개씩 늘어납니다.

4 계산식에서 규칙 찾아보기(1) 53쪽

1 $343+444=787$ **2** $555+555=1110$

3 $590-520=70$ **4** $5000+36000=41000$

5 $5100+3100=8200$ **6** $600+300-100=800$

5 계산식에서 규칙 찾아보기(2) 54쪽

1 $400\times 11=4400$ **2** $110\times 88=9680$

3 $4840\div 44=110$ **4** $4400\div 55=80$

5 $5\times 1000002=5000010$

6 $16016\div 4=4004$

7 $36666663\div 33=1111111$

6 규칙적인 계산식 찾아보기 55쪽

1 예 $209+213=210+212$

2 3, 3, 3, 3 **3** 6, 6, 6, 6

4 예 $8\div 2\div 2\div 2=1$, $16\div 2\div 2\div 2\div 2=1$

5 예 $64\div 4\div 4\div 4=1$, $256\div 4\div 4\div 4\div 4=1$

6 예 $125\div 5\div 5\div 5=1$, $625\div 5\div 5\div 5\div 5=1$